小野正嗣

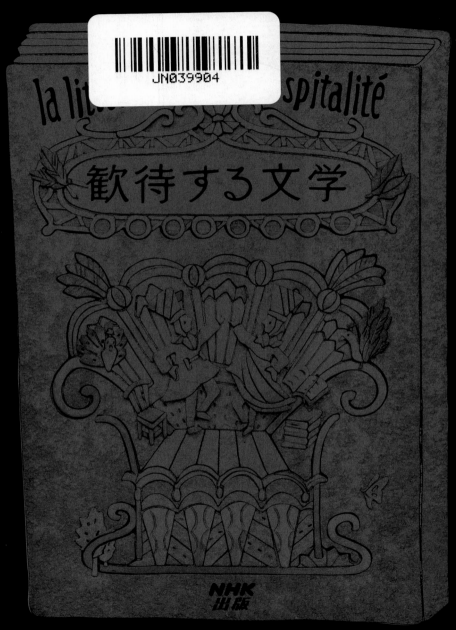

歓待する文学

Pour Claude Mouchard

C'est toi qui m'as appris ce qu'est le lien essentiel
entre littérature et hospitalité.
Ce petit livre n'aurait jamais été écrit sans toi
— toi qui me seras ce lien lui-même à jamais.

目次

はじめに 6

1 文学は歓待する 8

2 追憶の悲しみ
W・G・ゼーバルト『移民たち』 23

3 外国語で祈ることはできるのか
イーユン・リー「千年の祈り」 38

4 言葉はケアする
アキール・シャルマ『ファミリー・ライフ』 54

5 言葉の外に耳を澄ます
小川洋子『ことり』 70

6
絶対的な孤独としての一本の木
ハン・ガン『菜食主義者』 86

7
〝こんなふうにしても人は生きていける〟
J・M・クッツェー『マイケル・K』 103

8
信頼できる作家による信頼できない語り手
カズオ・イシグロ『浮世の画家』 119

9
文学は獣も人も自由にする
多和田葉子『雪の練習生』 136

10
翻訳は母語の可動域を広げる
村上春樹『職業としての小説家』 154

11
鳥たちはどこで翼を休めるのか
マリー・ンディアイ『三人の逞しい女』 169

12 故郷と異郷のあいだに架かる橋
マリリン・ロビンソン『ハウスキーピング』 186

13 悲しみと喜びをむすぶ 206

14 愛情と配慮の流れが淀むとき
レイラ・スリマニ『ヌヌ　完璧なベビーシッター』 224

15 「わたし」は「わたし」のものなのか？
村田沙耶香『コンビニ人間』 249

16 心の余白、風景の余白
瀬尾夏美『あわいゆくころ』 275

あとがき 297

原則として各回の末尾に、主題として扱われる作品の底本を示しています。
本文の引用はこの底本からなされています。

はじめに

本を読んでいて、次のような感覚を覚えたことはありませんか――まるで自分に読まれるのをずっと待っていたかのようだ。まるで自分に向けて、自分のために書かれているかのようだ。

いや、そうはっきりと言葉にする必要もないほど、本を夢中になって読みふけり、その世界に没入していたのかもしれません。

いずれにせよ、そんなとき本はあなたを受け入れています。言葉でできたその世界のうちに、あなたのための場所を作り、あなたをもてなしている。

そうです。あなたを歓待しています。

これからみなさんと一緒に本を読んでいきます。

多くは僕自身を歓待してくれた小説作品です。

作品の読み方はいたってシンプルです。毎回僕が試みるのは、目の前にある作品をただ読む、それだけです。ときどき、どうしても必要だと思われたときには、同じ作家の別の作品や発言にも触れていますが最小限にとどめています。個々の作品との出会いが何よりも大切だと考えているからです。

そもそも、僕たちがふだんの生活のなかで読書をするときには、その本を手に取って読むだけで、それに関する研究書や資料などを参照することはめったにないはずです。そのような専門的な読み方はここではいっさい行ないません。

一六回のうち一〇回は外国の作家の書いた作品が読まれるわけですが、すべて翻訳で読んでいます。やはりどうしてもその必要がある場合を除けば、原典を参照することは行なっていません（ただ二作品は僕自身が訳したものですので、原典を読まないわけにはいかなかったのですが）。

要するに、僕がやりたかったのは、着の身着のままでふらっと訪れた旅人、つまり僕を、それぞれの作品がどのように歓待してくれたのかを語るということだったのです。それもあってか、語り始めるに際して、つい僕自身とそれぞれの作家や作品との出会いについて触れがちです。そして、これらの作品を読む過程において、人類がたぶん古くから実践してきた「歓待」という行為の尊さについて漠然とながら考えることができたように感じています。

本書のもとになっているのは、NHKのラジオテキスト『こころをよむ』（二〇一九年一月～三月）です。そこに、やはり僕を歓待してくれた三作品が新たに加わりました。

この本もまた、あなたを迎えようとわくわくしています。僕も一緒です。

心からあなたを歓待します。

1 文学は歓待する

一九九七年に僕はフランスに留学しました。パリの北の郊外サン・ドニにあるパリ第八大学の大学院です。

その翌年だったでしょうか、パリ第八大学も会場になった、文学をめぐる大きな国際シンポジウムが開催されました。そこで僕は手伝いの学生として、質疑応答の際にマイクを運ぶ係を務めました。非常に活発な議論が展開され、僕はひなにせっせと餌を運ぶ母鳥のように会場のなかを行ったり来たり大忙しでした。そのなかでとりわけ大食漢のひながいました。餌が必要なのはよくわかります。栄養が足りていないのかもしれません。頭はつるつるで目はらんらんと輝き、小柄で痩せています。周囲のひなたちもそれがわかっているのか、彼が質問のために挙手をする前から、彼のところに行け、としきりに僕に目配せするのです。

シンポジウム終了後のレセプションで、そのひな鳥であった五〇代後半の大学教授がすたすたと僕に近づいてきました。餌（マイクですね）を運んだお礼を言いたかったのでしょうか。開口一番こう訊いてきました。

「マイクをずっと持ってたのに、なぜきみは発言しなかったの?」

戸惑いながらも僕はこう答えました――僕のフランス語のレベルでは機知に富んだ返事ができるはずもないので、正直に。

「だって馬鹿だからです」

するとクロード・ムシャールは青い瞳を嬉しそうに輝かせてほほえみました。「僕もそうなんだよ!」

それをきっかけに僕たちは意気投合し、気づけば僕はちょくちょく彼が妻のエレーヌと暮らすオルレアンの自宅を訪れるようになっていました。クロードはパリ第八大学文学部教授でしたが、詩人でもあり翻訳者でもありました。パリ第八大学には海外からの留学生が多いので、そうした学生たちと一緒に彼女ら・彼らの出身国の詩人の作品を翻訳していました。僕も彼と日本の詩人を訳すようになりました。何度も自宅に招かれて、キッチンの大きなテーブルや中庭のマグノリアの木陰にあるテーブルで彼と翻訳にいそしみました。今度は餌を与えられるのは僕のほうです。クロードはお菓子作りの名人で、手製のタルト・タタンやガトー・ショコラを訪問のたびに御馳走になりました。僕はそれから一年後くらいには、彼とエレーヌの自宅の一部である建物の一室に暮らすようになり、朝から晩まで一日のほとんどを二人の家で過ごすようになっていました。食事も二人と食べることが多かったので、居候も同然、というか家族も同然の生活でした。二人の家はとにかく本だらけなのですが、その書棚はフランス文学ばかりではなく、世界に向けて開かれていました――クロードは世界の文学につねに生き生きとした興味を抱いている人でした。でなければ、留学生に好きな詩人や小説家について尋ね、それを一緒に翻訳して、フランスに紹介しようとは思わないでしょう。彼は、フランスの著名な詩人ミシェル・ドゥギーが創刊した季刊の詩誌 *Po&sie*（『ポエジー』）の副編集長の一人でもあり、ドゥギーと仲間の編集委員たちとともに、この雑誌を世界の文学に開こうとつねに奮闘していました。フランスの詩人や批評家、哲学者が寄稿することの多い『ポエジー』が、韓国現代詩特集号、日本現代詩特集号を刊行し、二号にわたってアフリカの諸地域の詩人たちを特集したのは、クロードのこの雑誌への大きな貢献です。つまり彼は『ポエジー』という雑誌を通して世界中の文学を歓待してきたわけです。

✿ ✿ ✿

歓待、ホスピタリティ――それはクロードとエレーヌの生き方そのものです。僕は五年近く二人の家に暮らしましたが、僕のようにその家に受け入れてもらった人たちがこれまでにもいたことを知りました。僕のように――と言いましたが、いつでも好きなときに日本に戻ることができた僕とはちがって、彼らは自分の故郷に戻れなくなった人たちでした。コートジボワールからの貧しい移民の男性、クメール・ルージュの殺戮《さつりく》を命からがらのがれてきたカンボジア人男性、イラン・イラク戦争の際に少年兵として戦場に送り込まれそうになったイラン人の兄弟。そうしたそれぞれに苛酷な状況に追いやられた人たちを、クロードとエレーヌはマグノリアの庭のあるその家に受け入れてきたのでした。

日々の生活のなかで、クロードと話をするということは、クロードから文学についての知識を、そして何よりも文学への愛を惜しみなく分け与えてもらうことであると同時に、クロードとエレーヌの家に目には見えないけれど確実に足跡を残していった――そしてたぶん同時に、不安や悲しみをまさに荷を下ろすように置いていった――故郷喪失者たちの物語を聞くということでもありました。僕が帰国したのち、僕のいた部屋に暮らすようになったのは、スーダンからやって来た男性でした(僕より五つ年下でした)。クロードとエレーヌは彼が難民認定されるよう力を尽くしていました。僕は日本から再訪するたびに、二人がそのために奔走する姿を目にすることになりました。しかし、なかなか認定は下りませんでした。そして紆余曲折の末、ようやく難民として認められ、フランスで新しい人生を歩み始めた矢先に、彼は突然死というかたちでこの世を去ってしまいました――

クロードの腕のなかで。

いまクロードは、このスーダン人男性との出会いについて、そして、それはずっと彼が考え抜いてきたことでもあると思うのですが、異郷から来た他者を迎え入れるとはどういうことかについて——書き続けているようです。

困難にある人を自分にできる範囲で心をこめて歓待すること。それをクロードとエレーヌはいまも続けています。僕が暮らし、スーダンから来た彼が暮らした部屋には、いまはギニアから来た若者が暮らしています。クロードとエレーヌの尽力があって、彼はつい最近、難民認定を受けることができました。彼との出会いや日々のやりとりについてユーモアたっぷりに話してくれるクロードですが、難民認定の裁定が下される日の前にSkype（スカイプ）で話をしたときには、表情からも声からも緊張が伝わってきました。「不安でしょうがない」と何度もくり返していました。

そのようなクロードの姿に触れながら、僕はこの人のなかにはいつでも自分以外の者のための場所があると思っていました。アメリカの作家・批評家のスーザン・ソンタグが亡くなる前に若い人たちのために残した言葉のなかに、「一日の半分は自分以外のことを考えなさい」という一文がありましたが、クロードは一日の半分どころか大半の時間を他者のことを考えて過ごすという日々を長年にわたって続けているのだと思うのです。他者について考える――他者を想う――ためには、他者をしっかり見つめ、その言葉に注意深く耳を傾けなければなりません。クロードの場合、その他者の言葉とは、世界中のさまざまな文学作品から聞こえてくる言葉でもあれば、実際に出会った移民や難民たちから聞いた言葉でもあります。どの言葉に対してもクロードの態度は変わらず一貫しています。全身全霊で注意を傾け、自分の一部を譲り渡すことを恐れず、他者の言葉のための空間を自分のなかに作るのです。

本を読むときに多くの人が経験していることだと思いますが、文学の言葉の特徴は読む者を受け入れるということです。あなたの居場所を作ってくれることです――でなければ、誰も読書に没頭することはできないでしょう。我を忘れて本を読みふける。そのときあなたは、あなたの「我」を、本の言葉があなたのために、あなたのためだけに特別に作ってくれた空間に置き忘れているのです。文学というものがこのように読む者を受け入れ、その居場所を作るものだとしたら、僕は思ったのです、クロードという人はまさに文学そのものではないか、と。

ところで、みなさんの周囲にもいるかもしれません。話すだけで、声を聞くだけで勇気づけられる――いや、それどころか、その人がこの世界に存在すると思うだけで、なんだか力を与えられ、ポジティブな気持ちになれるそんな人が。なるほど、とみなさんは僕に言うかもしれません。きみにとってはクロードがそういう人なんだろうね。でもね、なかなかそんな人には出会えるもんじゃないよ、きみは幸運だったね。

そうかもしれません。たしかに、そういう人にはめったに出会えないかもしれません。しかし本ならどうでしょうか。それを読むだけで、そこにある言葉に寄り添われ、支えられ、励まされる――そんな本に出会った経験はありませんか。もしかしたら僕たちをそういう気持ちにしてくれる人に現実生活においてはなかなか出会えないがゆえに、文学というものが存在するのではないでしょうか。ここで僕は「本＝文学」であるかのような語り方をしていますが、僕は人に生きる力を与えてくれる言葉は、「文学的な言葉」と言ってよいと考えているので、「文学」を詩や小説というジャンルに限るつもりはありません。とはいえ僕が本書のなかで扱っているのは小説が多いのですが……。

❁ ❁ ❁

僕たちは「本を読む」という言葉を使います。しかし、ときどき「本に読まれている」あるいは「本が僕たちを読んでいる」と感じられることはないでしょうか。ある本を手に取って読み出すと、そこで自分がそのとき抱えている悩みや苦しみを軽減してくれるような言葉、考えてきた問題に対するヒントとなる言葉、直面する難局から抜け出す手掛かりになる言葉に思いがけず出会うことがあります。そのとき、僕らは自分のことを理解してくれる「真の友」に邂逅《かいこう》したような実感を得ます。

実は、そのような経験をさせてくれる言葉を、僕にとって「真の友」であるクロードから与えられたばかりです。僕は本書を書き出すにあたって、何についてどんなふうに書けばよいだろうかと考えあぐねていました。すると、クロードからメールが送られてきました。そこには雑誌『ポエジー』の次号で発表するエッセイが添付されていました。「小さなテクストを書いたので、きみに送るよ」と。そのタイトルは、「流浪と歓待の物語。ホメロスからムンゴ・パークへ、そして……?」というものでした。小さなテクストと言っても、A4で一四枚もびっしりと書かれています。簡単に要約はできないのですが、このエッセイが偶然——いや、偶然というよりはほとんど書棚に導かれるようにして——選んだ二冊の本を読むことから生まれた点がとても興味深いのです。

それはちょうどクロードがギニアから来た若者の難民申請に必要とされる数多くの書類を準備しているときでした。彼の心は、若者の申請が果たしてうまく行くかどうか不安に苛《さいな》まれています。フランスでも二〇一五年の欧州難民危機以来、新たにやって来る移民や難民に対する受け入れ政策はどんどん厳しくなっています。そうした人たちとどのように向き合っていくのか、ともに生きることはできないのか。そのような問いがクロードの胸中に去来していたはずです。そのとき、気をまぎらわせようと手にとったのは、該博な文献学的知識に裏打ちされた二冊の著作でした。コレージュ・ド・フランスの教授も務めたドイツ人言語学者ハラルト・ヴァインリッヒの著作の仏訳 *Le temps compté*（『限られた時間』とでも訳せるでしょうか）と、イギリスの伝記作家でロマン主義文学に精通したリチャード・ホームズの *The Age of Wonder*（『驚異の時代』）。

この二冊をぱらぱらとめくっていたクロードは気づくのです。「これらの本には、「歓待」という人間的行為についての問いを控えめながらも豊かにしてくれる文章がいくつもある」と。

ヴァインリッヒの本を読みながら、クロードはこれまで何度も読んできたホメロスの『オデュッセイア』を「歓待」という角度から再発見します（クロードは古典ギリシア語の教授資格も持っているので原典でこの古典を読んでいます）。『オデュッセイア』は、トロイア戦争に参加した英雄オデュッセウスが故郷イタケーに帰還するまでのさまざまな困難に満ちた遍歴を歌ったものです。ヴァインリッヒは、パイエケス人の国に流れ着いた遭難者（オデュッセウスだと僕たち読者は知っていますが、もちろん彼と出会ったパイエケス人の王女ナウシカアは知りません）が、パイエケス人たちから氏素姓を問われることなく歓待されている点に読者の——クロードの——注意を促します。この土地で歓待を受けるためには、その人が、xenos《クセノス》であればよいのです。そしてクロードは、ヴァインリッヒにならって、このxenosという言葉が、フランス語では「外国人」あるいは「客」と訳されてきたことに思いを馳せます。岩波文庫の松平千秋訳で、ナウシカアがオデュッセウスに投げかけた歓待の言葉を引用しましょう。

「他国のお人よ、お見受けするところ、素姓卑しい者とも愚か者とも思われぬ。オリュンポスの主《あるじ》ゼウスは、貴賤を問わずお気に召すまま人間の一人一人に幸いをお頒《わか》ちになるのです。そなたには偶《たま》まこのような目に遭わせることをなされたが、そなたは辛くともそれに耐えねばなりません。さて今、わたしらの町、わたしらの国に来られたからには、気の毒な人が救いを求めてくれば当然してあげねばならぬように、着る物はもちろん、その他何事であれ不自由はさせませんん」（上巻161頁）

クロードによれば、この歓待を「贈与」という観点からヴァインリッヒはさらに読み解きます。アルキノオス王に率いられたパイエケス人たちは客＝外国人オデュッセウスを、豪華な食事、美酒、美しい音楽と贅《ぜい》を尽くした宴席を設けて歓待します――しかしこの「もてなし」は、ただ客を慰撫し、喜んでもらうことだけを目的とする、「お返し」などいっさい期待しない純然たる贈与なのです。ところがオデュッセウスは、反対贈与＝「お返し」によって深い感謝の意を示します。

でも、着の身着のままでパイエケス人たちのところに漂着した遭難者であるオデュッセウスに、お返しとして与えられるようなものがあるのでしょうか。あるのです。それが「物語」です。『オデュッセイア』は計二四の歌から構成されていますが、第八歌でアルキノオス王の屋敷に招かれて歓待され、あなたは何者なのか、と問われたオデュッセウスは、ついに素姓を明かし、そこからなんと四歌にわたって（！）、パイエケス人の国にたどり着くまでのみずからの波乱に満ちた遍歴の物語を語って聞かせ、アルキノオス王をはじめ同席の者たちを魅了するのです。ヴァインリッヒがそこに歓待と文学とのあいだの原初的かつ典型的な関係を見ていることにクロードは得心します。歓待へのお返しとして物語を語ること。たしかに文学とはそのようにして生まれるものなのかもしれません。

「歓待」をめぐるエッセイのなかでクロードが言及せずにはいられないもうひとつの物語もまた「歓待」に関わるものです。「科学のロマン主義時代」を主題としたホームズの『驚異の時代』を読み出したクロードは、もう何年も前に読んだある一冊の本の著者について、ホームズが一章を割いていることを知ります。その著者とは、一八世紀のスコットランド人のムンゴ・パークです。ホームズの本に導かれるように、パークが一七九九年に刊行し

たアフリカ旅行記 *Travels in the Interior Districts of Africa*（『アフリカ内陸地域探訪記』とでも訳せるでしょうか）の仏語訳をクロードは再読し始めます。パークは西洋人として初めて西アフリカのニジェール川中流域を探検した人として知られています。クロードはこの若い旅人のアフリカに対するエキゾチシズムとは無縁の偏見のなさに驚きます。「ムンゴ・パークは純粋な、しかしとても現実的な自由の精神を備えた人間だ。恐れを知らない彼は未知なるものに身をさらすことをためらわない。ときには何の手立てもないまま、きわめて危険な状況に身を置くことにもなる。しかしそれすら受け入れているように見える」と。

クロードが注目する逸話は第一五章に位置します。以前に読んだときも深く印象に残っていた場面なのですが、そこにホームズも言及していたのです。パークがニジェール川を「発見」したあとのことです。パークは住民を通して現地の王に謁見したい旨を伝えます。王からの使者がただちにやって来ます。白人がこの地に来た理由が明白にならない限り、謁見はできないし、王の許可なく川を渡ることも許さない、との通告です。そして遠くにある村に行って夜を過ごせ、と言われます。言われたとおりにするしかなく、パークはその村に行きます。ところが屈辱的なことに村のどの家も彼を迎え入れてはくれません。誰もが恐れと驚きの混じった態度で彼を見ています。その日は何も食べていません。一本の木の下に座り込むパーク。夜が近づいてきます。風は強まり、雨が降り出しそうです。猛獣の多い地域なので、木に登って、枝の上で一夜を過ごすほかなさそうです……。

そこに畑仕事から戻って来た女性がひとり通りかかります。落胆し疲れ切ったパークを見て、足を止め、どうしたのかと尋ねてきます。習い覚えた片言の現地の言葉で説明すると、同情してくれたのか、小屋のような自分の家に招いてくれます。土の上にむしろを敷き、寝床も提供してくれます。さらにパークが腹を空かせているのに気づき、炭火で焼いた魚の半身を食べさせてくれるのです。そしてむしろを指差し、安心して眠るように言います。その家にはほかにも女性たちがいます。夜のあいだ彼女たちは綿花から糸を紡ぐ作業をしています。単調な作業の退屈をまぎらわすために、彼女たちは歌い出します。即興の歌のようです。どうもパークのことを歌っているようです。まずひとりの女性が歌い、それに他の女性たちが合唱で続きます。嘆くような優しい節回しで歌われている言葉をパークは次のように訳しています。「風がうなり、雨が降っていた。疲れ、弱った、哀れな白い男がやって来て、私たちの木の下に座った。彼には、乳をふくませてくれる母もいなければ、彼のために穀物をひいてくれる妻もいない。合唱――白い男を憐れみなさい。母がいないこの男を……」。

これはパークの探検の旅のなかでは小さな挿話に過ぎないかもしれません。そのことはパーク自身が認めています。胸躍る探検の物語を読むことを期待している読者には必要のない情景かもしれない。それでも彼は書き留めずにはいられなかったのです。「しかしあのような立場に置かれていた私は本当に心を打たれたのです。まったく思ってもいなかった善良さに触れて涙が出るほど胸がいっぱいになり、眠ることができませんでした」。

ヴァインリッヒとともにホメロスを、ホームズとともにパークを再読しながら、クロードは自問します。時代も場所も性質もまるで異なる物語をこんなふうに読み返しながら、現代に生きる自分はもしかしたら、他者を歓待し支えるための方法をこうした物語のなかに求めているのではないか、と。そしてクロードは、二つの出会いの物語——オデュッセウスとパイエケス人、パークと女性たち——について論じたエッセイを次のような問いかけで締めくくり——いや、逆です、読者に向かって開くのです。

このような出会いに触れることで、こんにち本当に歓待を必要としている者たち(アフリカのムンゴ・パークがそうであったように若者であることが多い)に対して、私たちは目や耳を閉ざさないでいられるようになるのではないか。彼らに対してもっと優しくなれるのではないか。そしてこの人たちが、もしいま歓待されたとしたら、いつの日か、彼らか彼らの子孫がお返しとして、流浪の憂き目にあっているかもしれない——先のことはわからないのだから——私たちの子孫を歓待してくれるかもしれないではないか。

クロードのフランス語では、僕が「もっと優しく」と訳したところは、直訳すれば「もっと残酷でなく（moins féroces）」となっています。クロードがそのような言葉を使うのは、異郷からやって来た、歓待を必要としている者たちに対して、「残酷な」としか呼べないような態度がくり返されるのを見てきたからです。そして自分に恐ろしく厳しいクロードは、妻のエレーヌとともに苦境にある人々――その多くは故郷を、家を失って彷徨《さまよ》う者たちです――をあのマグノリアの庭のある家で歓待してきたにもかかわらず、それでもいまもなお、「まだ足りない。歓待を必要とする人々にもっと目を開こう。その声にもっと耳を澄まそう」と、むち打つように自分自身に言い聞かせているにちがいありません。

だからこそ僕はこの人を信じることができますし、文学を信じることができます――なぜなら僕にとってはクロード・ムシャールこそ、文学と歓待との根源的なつながりを体現している人だからです。

2 追憶の悲しみ

W・G・ゼーバルト『移民たち』

二〇一四年六月にイギリスの東部、ロンドンから電車で二時間ほどのところにあるノリッジという町に行きました。「ワールズ」という文学会議に参加するためです。毎年開催されるこの会議では毎回、ひとつのテーマを決めて世界中から集まった作家たちが英語で話し合うのです。

ノリッジは文芸の町です（ユネスコから文学都市に選定されています）。ここには「ワールズ」を主催しているノリッジ作家センター（Writers' Centre Norwich。現 The National Centre for Writing）という公的機関があり、ワークショップなどを通じて文芸創作と文芸翻訳の振興・発展をサポートしています。さらにノリッジには、イギリスで最初に文芸創作コースを修士課程に設置したイースト・アングリア大学（UEA）があり、作家センターと密接な協力関係にあります。

ノリッジと聞くと、二人の作家の名前が思い浮かびます。カズオ・イシグロとW・G・ゼーバルトです。

二〇一七年にノーベル文学賞を受賞したイシグロが、UEAの文芸創作コースで学んだことはよく知られています。そのときの経験については、作家自身がノーベル賞受賞講演『特急二十世紀の夜と、いくつかの小さなブレークスルー』（土屋政雄訳、早川書房）で語っています。

もうひとりの作家ゼーバルトは、UEAで長らくヨーロッパ文学を教えました。一九八九年にはこの大学に、英国文芸翻訳センター（BCLT: British Centre for Literary Translation）を設立しています。僕が参加した年の「ワールズ」は、ゼーバルトの功績を讃える夕食会で幕を開けました。ゼーバルトはそれだけノリッジにとってゆかりのある作家だということです。「ワールズ」のテーマは「ノスタルジア＝郷愁」でした。そのときは深く考えず、時差ボケでぼうっとしながら、「マックス」（ゼーバルトの本名は、ヴィンフリート・ゲオルク・マクシミリアン・ゼーバルトですが、周囲からは「マックス」と呼ばれていたようです）の思い出を語っている人たちのスピーチを聴いている（しかもちゃんと理解できていない！）だけだったのですが、いま思うと、あのとき主催者の人たちにとって、二〇〇一年に亡くなったゼーバルトを深い哀惜と敬意とともに懐かしむのはきっと自然なことだったにちがいありません。なぜなら、ノスタルジア＝郷愁とはまさにゼーバルト的な主題だからです。

郷愁という言葉にはつねにどこか甘く切ない響きがありますが、ゼーバルトの作品においては、そこには歴史の暴力の痛みが伴っているように感じられます。

今回、取り上げるゼーバルトの作品は『移民たち』ですが、ゼーバルト自身がイギリスへの「移民」と言えます。

ゼーバルトは一九四四年にドイツの南部、アルゴイ地方のヴェルタッハという村に生まれました。フライブルク大学で学んだあと、イギリスのマンチェスター大学に留学します。その後、いったんスイスとドイツで短期間働いたのち、イギリスに戻り、ノリッジのイースト・アングリア大学に職を得て、そこで三〇年近く教鞭を執ることになります――つまりイギリスに移住したわけです。

ゼーバルトは、「作家のための作家」とでも呼びたくなるほど、彼の決して多くない作品（日本語では、鈴木仁子《ひとこ》の素晴らしい翻訳によってすべて読むことができます）は、世界中の多くの作家たちから深い敬意を捧げられて読まれています（たとえば、ナイジェリア出身で現在非常に注目されている作家テジュ・コールの『オープン・シティ』には、ゼーバルトの影響が色濃く感じられますし、コールはノリッジとゼーバルトについてのエッセイも書いています）。僕自身がゼーバルトの名前を知ったのはフランス留学中でした。『土星の環』のフランス語訳を買って読んだのです。そして、その独特の文体に魅了されながら、日本の作家る堀江敏幸の美しい散文を思い出しました（だから、日本語版『移民たち』の解説を書いていいるのが堀江敏幸であることを知ったときは嬉しくなりました）。

ゼーバルトの文学が世界的な名声を勝ち得る契機となったのは、一九九六年に刊行されたマイケル・ハルスによる『移民たち』の英訳だと言えるでしょう。これはとても興味深い現象です。それまでゼーバルトは、母語であるドイツ語で執筆した作品を、ドイツの出版社から刊行していましたが、それほど読者の多い作家ではありませんでした。ところが、『移民たち』（原著は一九九二年刊）が英訳されると状況が一変します。この本は大きな反響を呼び、次々と他の作品も英訳されることになるのです。ゼーバルトの作品は、スーザン・ソンタグやポール・オースターなど名うての読み手でもある重要な作家たちからも絶賛されます。この英語圏での高い評価がきっかけとなり、他のさまざまな言語へと翻訳されることになります。英語への翻訳が世界的な受容へとつながる現在の文学状況を示す格好の例でもあります。

しかし言うまでもありませんが、もちろんいくら英語に訳されたからといって、作品に魅力がなければ、世界各国で読まれるはずがありません。いったいゼーバルト作品の何がこれほどまでに読む者を魅了するのでしょうか。

＊＊＊

ゼーバルトの作品の魅力として、まず挙げられるのが、小説ともエッセイともつかない独自の文体でしょう。

『移民たち』は一人称で語られます。それぞれが移民である主人公を持つ四つの物語から構成されています。四人のすべてが、語り手である「私」がそれまでの人生において出会った人物です。語り手は忘れがたい印象を残したそれらの人たちのことを回想します。

いま僕は「物語」と言いました。しかし僕たちが「物語」という言葉から想起しがちなメリハリのあるストーリー展開がとくにあるわけでもありません。語り手が目にしたものが丹念に描写され、出会った人々についての思考が陳述されていきます。これは小説なのか、エッセイなのか――かりにそのような分類を試みようとすれば、うまく収まりきらない散文作品です。

そしてゼーバルトの作品には必ずモノクロの写真が挿入されます。そこに人が写っていれば登場人物だと読者は思うでしょうし、建物が写っていれば同じ頁に記述されている家とかホテルのことだと考えるでしょう。テクストのなかに嵌め込まれた写真は、いわば証言のように「ここに書かれていることは過去に実際に起きたことなんだ……」とリアリティを与えずにはおきません。しかし写真にはなんのキャプションもついていないので、それが実際にテクストを例証するものなのかどうか、つまり本物なのかどうかは曖昧なままなのです。ゼーバルト自身はインタビューで、『移民たち』のなかの写真の「ほとんどは本当のものだ」という趣旨のことを答えています。要するに、「すべてが本物である」と明言はしていないのです。

とはいえ、それが虚実のあわいで読者を煙に巻こうとするためのものではないことは、『移民たち』を含むゼーバルト作品総体に取り憑いていると言える大きな主題を考えれば明らかです。それは、ヨーロッパのユダヤ人の迫害そして虐殺の問題です。『移民たち』において、語り手が回想する四人の人物たちは、全員が移民であるばかりではなく、みな過去の記憶に苦しみ、みずから死を選ぶのです。そして語り手の大叔父を除けば、三人がユダヤ系の人物です。彼らを苛む過去を、語り手は最初から知っているわけではありません。

たとえば、一篇目の「ドクター・ヘンリー・セルウィン」では、語り手が妻と一緒に一時期仮寓《かぐう》していた屋敷の主人（正確にはその妻が屋敷の所有者）の老医師セルウィンの物語が明らかになります。初めて訪問したときに語り手が出会ったこの老医師の姿は、世捨て人さながらで、なかなか印象的です。なにせ荒れ果てた大きな庭に寝転がって草の葉を数えているのですから……。語り手と妻が屋敷を出たあとも、老医師は語り手のもとを訪れ、親交は続きます。ある日、セルウィンが語り手に「ホームシックに罹ったことはありませんか」と尋ねたことをきっかけに二人は長々と話し込むことになり、セルウィンはある「告白」をします。

——それは告白としか言いようのないものであった。この何年か、故郷恋しさが募ってどうにもたまらぬのです、と。いったいどこへ帰りたいのですかと問うと、自分は、七つのとき家族ぐるみでリトアニアのグロドノ近在の村から移民してきた身であると語った。一八九九年晩秋のことだった。両親と妹のギータとラーヤ、叔父のシャーニ・フェルトヘントラーとで、御者のアーロン・ヴァルトの荷車に乗り、グロドノにむかった。国を出たそのときの光景は、何十年このかた記憶から消えてしまっていたのに、ここ数年、くり返し意識にのぼっては甦ってくる。見えるのですよ、とセルウィン氏は語った、二年通っていたヘデルの先生が、別れぎわにわたしの頭に手を置いてくれているところが。がらんとなってしまった家《うち》の部屋が見えます。わたしが荷車のいちばん上に乗っているのが、馬の尻が見えます、ひろい茶色い野っ原が、農家の庭先のぬかるみでぴんと首をのばしている鵞鳥たちが。そしてグロドノの駅の暖房のき

きすぎた待合室、柵をしたストーブを囲んで、移民していく家族らがごろ寝をしていた。（23～24頁）

日本語訳には、「ヘデル」に「ユダヤ教の寺子屋式学校」と註がついています。セルウィンは自分がユダヤ人だとは言っていません。しかし、のちに名を「ヘルシュ」から「ヘンリー」に、姓を「ゼヴェリン」から「セルウィン」に変えたと語っています。リトアニアは多くのユダヤ系住民がいた地域で、第二次世界大戦中に、ナチスによってほとんどのユダヤ系住民が虐殺されたことが知られています。セルウィンの親族のなかにも虐殺の犠牲者がたくさんいたのだろうと読者は推測せずにはいられません。

＊＊＊

二篇目の「パウル・ベライター」では、故郷のS町で小学校のときの担任の教師だったパウル・ベライターという男性の自死――線路に横たわり轢死する――を語り手が知るところから始まります。語り手はS町に戻り、パウルの過去についての調査を始めます。この探求のきっかけとなったのが、ローカル紙の追悼文にあった「第三帝国はパウル・ベライターが教職につくのを妨げた」という一文だったことは見逃せません。そして語り手は自分たち生徒が親しみを込めてパウルと呼び、「理想の兄」のように慕っていたこの人のことを何も知らなかったことに愕然とするのです。「パウルはたしかに私たちを知悉し理解していたけれど、いっぽう私たちはといえば、誰ひとりとしてパウルという人を、パウルの心のありようを知らなかったのである」(33頁)。

語り手のこの自責の念はどこから来るのでしょうか。パウルの過去を調査する過程で語り手は、生前のパウルを知るマダム・ランダウという女性にスイスのイヴェルドンで出会います。そして、若きパウルが「二度と立ち直れぬと思うほど打ちのめされ」る経験をしたことを知ります。一九三五年の夏、正規の教員になったばかりのパウルに、彼が教職につくことを禁じる命令が通告され、しかもその直前に知り合い、恋に落ちた女性ヘレン・ホレンダーの身に悲劇が生じます。

ヘレン・ホレンダーがそれからどうなったのか、マダム・ランダウは正確なところを私に告げることはできなかった。パウルはこの件について終始かたくなに口を閉ざしていたという。察するに、自分はヘレンに何もしてやれなかった、見殺しにしてしまったという思いにさいなまれていたからではないか、とマダム・ランダウは語った。だが伝え聞いたかぎりではほぼまちがいない、ヘレンは母親とともに移送されたのだろう。夜明け前にウィーンを出発していったあの特別列車で、おそらくはひとまず、テレージエンシュタットにむけて。（54〜55頁）

「移送」、「特別列車」、そして「テレージエンシュタット」（強制収容所のあった場所として知られています）という言葉がどのような現実を指しているのかは明らかです。ヘレンはナチスによるユダヤ人虐殺の犠牲者となったのです。

そしてこれに続けて、マダム・ランダウが語る次のような言葉には、ゼーバルトが、パウルの物語を、ひいては『移民たち』というテクストを書かなければならなかったことの理由が端的に見出せると思うのです。

こうして少しずつ、薄紙をはがすように、パウル・ベライターの生涯が過去から浮かびあがってきたのだった。私がS町の出身で、界隈のことはよく知っていたにもかかわらず、パウル・ベライターの父がいわゆる〈二分の一ユダヤ人〉で、そのためパウルが〈四分の三アーリア人〉でしかなかったことを知らずじまいだったことにも、マダム・ランダウは少しも驚かなかった。ご存じかしら、と何度目かにイヴェルドンを訪れたおりに彼女は言った。ご存じかしら、あの徹底ぶりを。破壊をしとげたあと、あの人たちはぴたりと口をつぐんで、一切合財を秘密にしてしまった、あの徹底ぶりを。ほんとうに忘れてしまったのではないかって、ときどきそう思うわ。（55頁）

ゼーバルトは、あるインタビューのなかで、ユダヤ人迫害と虐殺の過去についての戦後ドイツの「沈黙」と「忘却」に深い違和感を覚えていたことを語っています。かりに自分自身がその非道な行為に荷担していなくとも、起こったことについて知らなくてはいけない、起こったことをなかったことにはできない。

❁ ❁ ❁

四つ目のいちばん長い「マックス・アウラッハ」は、語り手が一九六六年にマンチェスターに最初に留学したときに出会った画家のことを書いたものです。語り手はこの画家と親しくなります。しかし、彼の過去について知る機会があったのに、なんとなく聞きづらいものを感じて問うことができないままマンチェスターをあとにします。それからほぼ四半世紀が経った一九八九年、語り手はロンドンでアウラッハの絵を偶然目にし、この画家についての雑誌記事から、自分がかつておぼろげに感じ取っていたことをついに知ることになります。

記事はこう続けていた、アウラッハの両親はいくつかの原因が重なってドイツからの出国が遅れ、一九四一年十一月、最初期の移送列車でミュンヘンからリガへ移送され、彼地で殺害された、と。あの当時、私がマンチェスターでアウラッハが私に当然期待していたはずの問いかけをせずに終わった、ないしは問いかける勇気がなかったことを思い返すと、今更ながらに自分は赦されざることをしてしまった気がした。

（193頁）

「赦されざることをしてしまった」というのはとても強い悔恨の言葉です。一九四四年生まれのゼーバルトは、ナチスによるユダヤ人虐殺にもちろん荷担していません。しかし彼は、自分の親を含めて故郷の人たちが、実際に手を下したにせよ、見て見ぬふりをしたにせよ、ユダヤ系住民たちに対して行なったことの責任が自分にはあると考えています――起きてしまった行為そのものは取り返しがつかないとしても、もしも過ちがなされたことを知ったのなら、そのことを記憶にとどめ、語り続けなければならない。『移民たち』において、語り手が人物たちと出会って何十年も経ってから、彼らの抱えている過去の重さや悲痛に気づくという形式を取っている点は示唆的です。
何かを完全に無に帰することはできない。どんなに破壊しようとしても、必ず何かが残る。「灰燼《かいじん》に帰する」という言葉がありますが、たとえ何かを焼き払い、破壊したとしても、灰は残るのです。微細な埃や塵は舞い続けるのです。画家アウラッハは、みずからの仕事について、何よりも大切なのは仕事場に変化が起こらないことだ、と言いながら、塵への偏愛を語ります。

絵を制作していくときに出る塵芥《ちりあくた》とたえまなく積もる埃のほかは、どんなものも付け加わらないことだ、そしてしだいにわかってきたのだが、このたえず積もりつづける埃こそ、自分がこの世でいちばん好きなものである。光よりも空気よりも水よりも、埃はわが身にはずっと親《ちか》しい。埃を払った家ほど我慢のできないものはない。ひと息ごとに物質が解きほぐれ消え失せてできる灰色のなめらかな粉末におおわれて、物たちがそっとくぐもって横たわっていられる場所ほど、自分にとって安堵できるところはない、と。

（174頁）

これはゼーバルト自身の書き方の特徴を語っているようにも思えます。キャンバスや紙の上に塵を積もらせるような画風のアウラッハの肖像について語り手は言います。「見る者にこんなことを思わせた――この肖像は、先祖たちの長い長い列、焼かれて灰になって、それでも痛めつけられた紙のなかでなお亡霊として彷徨いつづけている、灰色の顔をした先祖たちの長い列から浮かびあがってきたのだと」（175頁）。

「灰」はガス室で殺戮され焼却炉で焼かれたユダヤ人たちの運命を想起させます。アウラッハにとって絵を描くとは、そこにはいないけれど、肖像のモデルとつながっている死者たち全員を想起することなのかもしれません。そしておそらくゼーバルトにとっても「書く」とはそのような営みなのです。

これまでの引用文に示されているように、他者の言葉を「」でくくらないゼーバルトの文章においては、語りの声はたえず他者の声と混じり合い、いつの間にかその下にかき消されて見えなくなります。ゼーバルトの文章は、ある意味でさまざまな声を受容するキャンバスのようです。他者の声に奪われるというよりは、他者の声をそっとさりげなく招き入れる。そして、分かちがたく混じり合う。そうやってたがいを受け入れ合う声が語るのは、歴史のなかで起きてしまったこととしてつねに変わらずそこにあるのに、僕たちの目から見えなくなってしまった、あるいは僕たちが意図的に見ようとしていなかった悲劇の記憶なのです。苦悩や悲哀を背負ったおびただしい「灰色」の記憶が、ちょうど降り積もる埃のように、僕たちの世界の表面を覆い尽くしているのかもしれません。暗い室内に光が差し込みます。すると、その光の帯のなかに、それまで見えていなかった、しかしずっと室内を漂っていた微細な埃が不意に現われます——ゼーバルトの散文はそのような光なのかもしれません。

『移民たち』鈴木仁子訳、白水社

3 外国語で祈ることはできるのか

イーユン・リー「千年の祈り」

イーユン・リーには会ったことがあります。

二〇一六年に開催された東京国際文芸フェスティバルにリーが招待され、彼女が出演したイベント（作家の角田光代との対談）のモデレーター（司会進行役）を僕が務めたのです。当時は、僕はJ-WAVEというFMラジオ局の番組でナビゲーターをやっていましたので、その番組にも出演してもらいました。

とても穏やかで、相手の問いかけにていねいに耳を傾け、真摯に答えてくれます。ときどき口元に優しいほほえみが浮かびます。言葉にしても笑みにしても、表面的なところがいっさいなく、奥行きが感じられます。発せられる言葉はすべて、心のとても深い部分から出発して相手のもとに届けられている。だからこちらもそれを大切に受けとめたい。そんな気持ちにさせてくれる人でした。

彼女の言葉に嘘がないように感じられるのは、もしかしたら母語ではない英語で語られているからでしょうか。外国語で話すとき、簡単なことしか言えないがゆえに、言いたいことだけが伝わるという実感を得ることがあります。他方で、習い覚えた定型的な表現しか使えず、自分の言いたいこととのズレを感じてしまうこともあるでしょう。中国に生まれ育ち、いまはアメリカに暮らして英語で書くリーにとって、母語とは、外国語とは、どのようなものなのでしょうか。

イーユン・リーは一九七二年に北京に生まれました。父親は核物理学者で、彼女自身ももともとは理科系の学生でした。九六年にアメリカに渡り、アイオワ大学で免疫学を学んでいます。しかし、そこで彼女は短篇小説を書き始めます――それも英語で。彼女の作品は次々と著名な文芸誌に掲載され、今回取り上げる短篇が表題作として収められた短篇集『千年の祈り』（二〇〇五年）は、第一回フランク・オコナー国際短篇賞の受賞作となりました（第二回の受賞者となったのが村上春樹です）。日本では、この『千年の祈り』に加えて、『さすらう者たち』『黄金の少年、エメラルドの少女』『独りでいるより優しくて』『理由のない場所』（いずれも篠森ゆりこ訳）と、リーの主要な作品を読むことができます。

＊　＊　＊

「千年の祈り」の主人公は、元ロケット工学者の石氏《シー》という中国人です。七五歳になる彼には、アメリカの中西部の町に暮らす娘がいます。その娘に会うために石氏はアメリカにやって来たのです。公園を散歩するようになった彼は、自分と同じように公園にやって来る七七歳のイラン人の女性——名前を知らないので、石氏は「マダム」と呼んでいます——と親しく言葉を交わすようになります。

もちろん二人が会話する言語は、両者にとって外国語である英語です。「二人とも英語がほとんど話せないのに、おたがいの言いたいことが容易にわかる。それでたちまち友達になった」（227頁）。

片言の英語でなされる二人のやりとりはどこかコミカルです。

「アメリカ、よい国」彼女はよく言う。「むすこたち、たくさん金つくる」

たしかにアメリカはいい国だ。石氏の娘は大学図書館の東アジア部で司書をしているが、年俸は彼の二十年分の給料より高い。

「わたし、むすめいる。むすめも、たくさん金つくります」

「アメリカ、すき。みんなに、よい国」

「はいはい。わたし、ちゅうごくで、ロケットこうがくしゃ。でも、とてもびんぼう。ロケットこうがくしゃ。わかる？」石氏は手で山の頂をつくる。

「ちゅうごく、すき。ちゅうごく、よい国。とてもふるい」

「アメリカ、わかい国です。わかい人たちのように」

「アメリカ、しあわせな国」

「わかい人たち、老人より、しあわせです」と言ってから石氏は、結論を急ぎすぎたな、と思う。彼としては、ものごころついてからこれまでの人生で、いまこの瞬間がいちばん幸せである。そして目の前にいる女性も幸せそうだ。理由があろうとなかろうと、彼女はすべてを愛する。（227頁）

物語は三人称で、石氏の視点から語られています。この場面は、暖かい日差しに照らされているような不思議な幸福感に包まれています。

ここには、先に述べた、あまり自由にならない外国語を喋るときに僕たちが感じがちな相反する二つの感覚が表現されています。外国語で話していると、言葉を飾ることができないので、本当に言いたいことだけが伝わると思える。その一方で、定型的な表現しか使えない不自由さも感じる……。

実際、石氏にしても、彼の話し相手であるイラン人のマダムにしても、二人が語る「アメリカ」は、「アメリカン・ドリーム」という言葉に象徴されるようなきわめてステレオタイプなイメージを帯びています。貧しい移民がお金を稼いで豊かになれる可能性に開かれた自由の国アメリカ。「よい」「わかい」「しあわせな」というポジティブな形容詞が、アメリカを飾っていることからもそのことは明らかです。

しかし、「わかい人たち、老人より、しあわせです」と口にしたとき、石氏はその言葉が、自分が本当に感じていることを正確には伝えきれていないと感じています。なるほど、七十五歳の老人である彼は、「いまこの瞬間」をこれまで生きてきた人生のなかでもっとも幸福に感じているのは事実でしょう。でも、どうしてこの言葉が真実として彼自身の耳に響かないのでしょうか。

それは石氏がアメリカにやって来た理由と関わります。彼の娘は離婚したばかりで、その娘のことが心配でたまらず、彼女が「立ち直る支え」になりたいと頼まれもしないのに中国から押しかけてきたのです。「娘にことわられても、彼は毎日電話をして訴え、そのせいで年金ひと月分がそっくり国際電話の通話料に消えた。そして七十五歳の誕生日にアメリカを見てみたいと言ったとき、やっと娘は受け入れた。それは嘘だったのだが、結果的にその嘘は正しい選択となった。アメリカは一見の価値があるところだし、それ以上に、アメリカは彼を新しい人間にしてくれる。ロケット工学者で、いい話し相手で、愛情ある父親で、幸せな男に」（229頁）。

いったい誰にとって「正しい選択」だったのでしょう？　石氏は娘のため、というよりは、自分自身の心の平穏のために、娘の苦悩を利用している、自己中心的な困ったお父さんに見えなくもありません。おいしい手料理を準備して娘を待つ自分自身にもご満悦です。「ロケット工学者で、いい話し相手で、愛情ある父親で、幸せな男」と石氏は自己を定義していますが、愛情ある父親という点を除けば、他の三つが嘘とまでは言わなくとも、現実どおりではないことが次第に明らかになっていきます。

❁
❁
❁

イラン人のマダムとの会話とちがい、実の娘とのあいだには会話がうまく成り立ちません。帰宅してもひとりでいることが多い娘に、父は仕事のことや同僚のこと、その生活の細部に至るまで質問するのをやめません（うっとうしいお父さんですね）。離婚したばかりとはいえ、若い女性がひとりで孤独に暮らしている感じがして心配でたまらないのです。「せっぱつまった状況だとわかってもらいたい父は、将来どうするつもりか問いかける。たとえば二十代から三十代はじめの結婚適齢期にいる女は、木から摘みとられたライチの実のようなものだ。日ごとにみずみずしさと魅力をうしなって、哀しくもあっというまに値打ちが下がり、安売り価格で片づけられるはめになる」（２３０頁）。

結婚適齢期の女性をライチにたとえるのは中国的と言えるでしょうか。このあたりからも、石氏が中国語で思考していること、娘との会話が中国語でなされていることが想像されます。とにかく父には娘が自分のことをあまり語らないことが気にかかります。

しまいに石氏は、おまえは本来の生活を楽しもうとしていない、と娘にさとす。「どうしてそういう結論になるの？　ちゃんと楽しんでるわ」

「嘘だ。幸せな人がそんなに無口なわけがない！」

娘が飯碗から顔を上げる。「父さん《バーバ》、自分がすごく無口だったの、おぼえてる？じゃ、幸せじゃなかったの？」

（中略）

石氏はため息をつく。「もちろん、ずっと幸せだよ」

「ほらね、無口で幸せってこともあるわよね」

「じゃおまえの幸せについて語ったらどうだ。仕事のこと、もっと教えておくれ」

「父さんだって仕事のこと話さなかったじゃない。おぼえてる？　こっちから訊いてもだめだったわ」

「ロケット工学者とはどういうものかわかっとるだろ。極秘の仕事だったんだ」

「ほかにも何だってあまり話さなかったじゃない」

石氏は口を開くが、言葉が出てこない。間があく。「でもいまは話すようになっただろ。前よりよくなってないか?」

「そうね」

「おまえに必要なのはそれだ。もっと話すんだよ」と石氏。「さあ、いまからだ」

（230〜231頁）

しかし娘は心を、文字どおり口を開いてはくれません。彼は翌日、イラン人のマダムに胸のうちを吐露します。「むすめ、しあわせでないです」「むすめ、りこんしました」（232頁）。それに対してマダムは彼女の母語であるペルシア語で喋り始めます。意味はわかりませんが、石氏にはマダムが幸せにしか見えません。話したり笑ったりするときのマダムの顔が輝いて見えるから、そう思うのです。「マダムは故郷を追われた身だが、きっと喜んで追われたのだろう。イランという国と近年そこで起きた事件を石氏は思い出そうとしてみるのだが、そもそもよく知らないので、やはりマダムは幸運な女性だとしか思えない。大なり小なり傷があるとはいえ、彼も幸運な男だ」（232頁）などと無責任なことを考えたりもします。

マダムの話がとぎれると、石氏は言う。「ちゅうごくで、『修百世可同舟《シウバイシークウトンジョウ》』といいます」誰かと同じ舟で川をわたるためには、三百年祈らなくてはならない。それを英語で説明しようとして、ふと思う。言語のちがいなどどうでもいい。訳そうが訳すまいが、マダムならわかってくれるだろう。〈たがいが会って話すには——長い年月の深い祈りが必ずあったんです。ここにわたしたちがたどり着くためにです〉彼は中国語で話す。

（２３２～２３３頁）

自分が言いたいことが正確に伝えられるかなど、もうどうでもよいのかもしれません。いや、むしろ伝わらなくて構わない。ただ「話す」、言葉を発するという行為が石氏を幸福で満たしているかのようです。

まだこの短篇を読んでいない方の楽しみを奪うことはしたくありませんので、具体的には書けないのですが、石氏が娘に向かっても、マダムに向かっても、そして自分自身に向かっても強調しているのとはちがい、中国に暮らし、妻と娘と家族三人で暮らしていたころ、父親がほとんど喋らなかったのは、ロケット工学という極秘の仕事に関わっていたからではないのです。彼はまったく別の理由から、自分の仕事を語ることができなくなるのです。そして、彼にそのような沈黙を強いることになった原因が、まさに「話す」――それも深い喜びをつねに感じながら――ことだったのです。

ある日、娘に電話がかかってきます。電話に出ると娘は、いつものように電話を持って寝室に向かいます。ドアが開いています。声が聞こえます。

娘が英語を話すのに耳をそばだてる。これほどきつい声に聞こえるのは初めてだ。早口でしゃべり、何度も笑っている。言葉はわからないが、その話しぶりはもっと理解に苦しむ。やたらとけたたましくふてぶてしく、きんきんひびく声。ひどく耳ざわりで、ふとはずみで娘の裸を見てしまったような気分だ。いつもの娘ではなく、どこかの知らない人みたいだ。（238頁）

誰と話していたのか、電話を終えた娘に石氏は尋ねずにはいられません。そして相手が恋人の男性であることがわかります。それどころか、夫に捨てられたとばかり思い込んでいた娘が、この男との関係が原因で、自分のほうから夫を捨てたのだと知り、激しく動揺します。なぜ浮気をしてしまったのだと娘を問い詰めます。自分が無口だったがゆえに夫に誤解されて関係がこじれたのだと説明する娘に父は激怒します。

「嘘だ。電話でいま、あんなにべらべら話してたじゃないか。しゃべったり、笑ったり。売女みたいに！」

どぎつい言葉にぎょっとして、娘の目が石氏の顔に釘づけになる。しかししばらくするとおだやかな声で答える。「ちがうのよ。英語で話すと話しやすいの。わたし、中国語だとうまく話せないのよ」

「くだらん言い訳だ！」

「父さん。自分の気持ちを言葉にせずに育ったら、ちがう言語を習って新しい言葉で話すほうが楽なの。そうすれば新しい人間になれるの」

（２４１頁）

外国語でのほうが、自分の感情をうまく表現できる――そう娘は言っています。僕たちは母語でのほうが自分の思考を的確に表現できると思いがちです。とりわけ心の深いところにある感情には母語が寄り添っている気がするものです（ここで「母語」を、「方言」に置き換えて考えてみると、ピンときやすいかもしれません）。しかし本当にそうでしょうか。言葉はそれが使われる社会の文化や慣習から自由ではありません。表現しようとする感情が、文化や慣習の規範に抵触するとき、母語ゆえに語れないという事態が生じるのです。

＊＊＊

東京国際文芸フェスティバルで、リーはI love youに相当する表現を母語である中国語では口にしたことがないと語っていました。また、ラジオ番組のためにインタビューした際、母国の人にどのように読まれているのですか、と尋ねると、自作が中国語に翻訳されるのは望まない、と答えが返ってきました。中国社会の急速な発展が人々の生活にもたらすひずみや亀裂を、リーの小説は丹念に描いてもいるので、それが政治的な批判として読まれることを危惧してのことでしょうか。なぜですか、とさらに尋ねると、意外な答えが返ってきました。「母に読まれたくないから。母は英語が読めないので……」と。

リーはこれまで自分は決して自伝的な作家ではないと言ってきました。たしかに、「私小説」のようなかたちで、自分や周囲の知り合いの分身であるような人物を登場させて、実際に経験してきた出来事を小説に仕立て上げるという書き方からはほど遠い作家です。しかし小説は無からは生まれません。それを書く人間が生きてきた人生のさまざまな経験や記憶に根を持つものです。その意味では、あらゆる小説は自伝的だと言ってもよいのではないでしょうか。

「千年の祈り」は、父と娘の物語ですが、その背景には、「母なるもの」とリーとの関係が透けて見えるような気がするのです。数年前リーはエッセイ集を刊行しました（*Dear Friend, from My Life I Write to You in Your Life*, 2017）。そのなかに「話すことはつまずくこと、でも私は試みる（"To Speak Is to Blunder but I Venture"）」というエッセイがあります。そこで、ロシア語から英語の作家になったウラジーミル・ナボコフの言葉を引用して、リーは自分と母語との関係を述べます（余談ですが、ゼーバルトの『移民たち』に収められた四篇のすべてに、ナボコフとおぼしき人物が登場します）。「私の個人的な悲劇は、私にとって自然な言語（natural language）を捨てなければならなかったことだ」と語ったナボコフとちがって、自分にとっては、母語（native language）を手放したことが、「個人的な救い」だったとリーは言うのです。なるほど、リーは、母語（mother tongue）という語は使っていないのですが、このエッセイ集のなかで、小さなころからの母親との難しい関係について言及しています。自分が注ぐのと同じだけ深い愛情で娘が応えるのを望み、失望すると「感謝が足りないあなたはろくな死に方をしないわよ」などと口走ってしまう母親。母語を使わないことを選択するとは、このような母から逃れることを意味していたのではないでしょうか。

こんな僕の勝手な解釈を伝えたら、リーはあの優しいほほえみを浮かべて、静かに首を横に振るだけのような気がします。なにせ、この同じエッセイのなかで、リーはこう言っているのです。「自分の第一言語を捨てるというのは、個人的な選択です。きわめて個人的なもので、いかなる――政治的、歴史的、民族学的――解釈も受け入れません」と。

ただここで重要だと思うのは、英語作家で生きることを選択したリーが、しかし英語を新しい母として、母語として受けとめているようには見えないことです。もしも彼女にとって母的なものがつねに自分を縛りつけようとするものとしてあるのだとしたら、そうしたものからは、なるべく身を遠ざけてひとりになりたいのかもしれません。自分だけの場所が欲しい――言語も含めて。しかし中国語は母語であるがゆえにそのような場所にはなりえません。母ではない言語が必要だったのです。それがたまたま英語であったというだけなのでしょう。

リーにとっては、感情の表現という点で外国語と母語のあいだに大きなちがいはありません。自分の口にしていることが、自分の感情に寄り添っていない――そんな経験が日々の暮らしのなかで誰しもあるはずです。リーはむしろ、彼女が公的言語（public language）――他者に語りかける日常生活の言葉――と私的言語（private language）――自分自身に語りかける言葉――と呼ぶ二つの言葉のちがいを重視しています。「書いているとしばしば忘れるのです。英語がほかの人たちにも使われていることを。英語は私の私的言語なのです。すべての単語が単語になる前に熟慮されなければなりません。確信しています――思い違いでしょうか？――私が自分自身とする会話は、言語学的には間違いがあると思いますが、私がつねに望んできた会話であり、まさに望んでいたとおりになされるものなのです」。

　私的言語とは自分との対話のための言語です。それが他者に共有される必要はありません。それは孤独なものです。しかしそれはリーにとって、抑圧し縛りつけようとするものから自分を守ってくれる場所でもあります。僕は思うのです――リーばかりではなく、あらゆる作家にとって書くとはそのつど、それが外国語か母語かを問わず、みずからの私的言語を構築していくことなのかもしれない、と。

「千年の祈り」で、父である石氏は幸せな人間は口数が少ないはずがないと信じていました。しかし、「無口で幸せってこともあるわよね」と石氏の娘が言うとおりなのです。もしかしたらそのとき人は黙っているように見えているだけで、実は、私的言語によって自分とずっと対話を続けているのかもしれません。マダムに向かって、石氏が中国の格言を引きつつ、祈りについて語っていたとき、その言葉がまったくマダムには理解できていなかったことを思い出してもよいでしょう。相手に伝わらない言葉――それは言葉として理解されていない点では沈黙に近いものです。娘とちがって石氏は母語で喋っています――でも石氏もリー自身も言っているように「言語のちがいなどどうでもいい」のです。このとき石氏は間違いなく、マダムに向かってと同時に自分自身に向かって語りかけています。

彼は私的な言語を喋っているのです。

「たがいが会って話すには——長い年月の深い祈りが必ずあったんです」と石氏は言います。石氏の言葉は、リー本人の言葉のように響きます。祈りは切実なものであればあるほど、つねに心のうちで、おそらく自分自身に語りかけるようになされるものではないでしょうか。それはつねにリーが言うところの私的言語でなされるものだと思うのです。リーにとっては、書くとは祈ることと似ている。では、祈りは本人にしか聞こえないのでしょうか。そんなことはありません。そこに「舟」が現われます。「千年の祈り」という舟が。小説を読むことの幸せとは、個々の作家の私的言語と僕たちの私的言語が、同じひとつの舟に乗り合わせて、一緒に川を渡っていくところにこそあるのです。

「千年の祈り」『千年の祈り』篠森ゆりこ訳、新潮クレスト・ブックス

4 言葉はケアする

アキール・シャルマ『ファミリー・ライフ』

アキール・シャルマは、僕にとってとても大切な作家です。そのことは僕自身が彼の小説を翻訳していることからもわかってもらえると思います。『ファミリー・ライフ』は彼の代表作であり、たぶん彼にとってはそれ以上の意味を持つ小説です。

アキール・シャルマとは、すでに言及した二〇一四年六月にイギリスのノリッジで開催された「ワールズ」で出会いました。世界のさまざまな地域（英語圏が多いのですが）からやって来た作家と翻訳者たちが「ノスタルジア」という主題をめぐって話し合ったわけですが、その議論のきっかけになるように、各セッションの冒頭で何人かの作家が発表を行ないました。シャルマは発表者のひとりでした。ちょうど刊行されたばかりの自作の冒頭を朗読し、コメントを加えました。その作品が『ファミリー・ライフ』でした。

僕にはその朗読のすべてが理解できたわけではなかったのですが、家族の誰かがプールの事故で脳に大きな損傷を受けて寝たきりになってしまい、家族は長い年月にわたって介護することになった——だいたいそんな話だとはわかりました。僕は動揺していました。その当時、僕自身の兄が悪性の脳腫瘍を患い、自宅で療養していたからです。

シャルマに興味を持ちました。しかし、この人がよく議論の途中に会場から抜け出していることにも気づいていました。まあ、なにせ作家と翻訳者が三〇人くらい一堂に会しているわけです。たえず全員が全員発言しているわけではありません。とはいえ、途中に席を立ってどこかに消えていたのは、シャルマくらいではなかったでしょうか……。

翌日だったでしょうか、セッションが終わり、会場を出ると、シャルマに声をかけられました。「町を歩きながら話でもしないか」と言うのです。「僕なんかと話してもつまらないよ」と応じると、「僕がきみと話をしたいんだ」と言います。そんなことを言われると嬉しいですよね（だいぶあとになって教えてもらったのですが、本当は近くにいた別の女性と話をしようとしていたら、「もう行かなくちゃいけないから、あそこにいるマサと話をしたら？」と言われて、僕に声をかけてくれたのだそうです……）。そこで僕たちは一緒に散策に出かけました。おたがいのバックグラウンド、どんなところで生まれ育ち、家族は何をしているのか、といった自己紹介的な話から始まって、思ってもみなかったほど会話が弾み、楽しい時間になりました。

アキール・シャルマは、一九七一年にインドのデリーに生まれました。八歳のときに、家族で――両親と兄と彼の四人家族です――アメリカ、ニューヨークに移住します。父親は公務員の仕事を得て、母親は縫製工場などで働き、貧しいながらも家族の生活はようやく安定します。ところが……。

シャルマの朗読のなかで語られていたプールの事故。その事故で脳に大きな損傷を負って、言葉も身体の自由も失ってしまったのが、シャルマの兄だったのです。その体験をもとに書かれた小説――それが『ファミリー・ライフ』なのです。

散策の途中で書店に入ると、僕は平積みになっていたこの本を一冊買い求め、二人の出会いの記念にと彼にサインをしてもらいました。翌日、彼は帰国することになっていたのですが、午前中、短い時間ながらも僕たちはふたたび一緒に町を歩きました。前日の青空と打って変わって小雨のぱらつく曇り空でした。僕たちはスタンドでホットドッグを買って頰張りながら、軽口をたたき合いました。そのときシャルマが話してくれたエピソードに、僕はあとから『ファミリー・ライフ』のなかで出会うことになります。インドでは存在が希薄だった父親が、アメリカでの新生活ではまったく別人になったかのように見えると、主人公のアジェ――小説の語り手であり、シャルマの分身的存在――が驚く場面です。

父はよく喋るようになっていた。いろんなことをよく知っており、話を無視することはできなかった。母とビルジュと僕は、ホットドッグは犬の肉から作られているのだと思い込んでいた。犬のどの部分が使われているのかと議論したあげく、しっぽにちがいないという結論に落ち着いた。帰宅した父はそれを聞くと笑い出した。(25頁)

ビルジュは主人公アジェの兄です。このユーモラスな場面では、アメリカで始まったばかりの生活は希望の光に溢れているように感じます。おそらくこの小説のなかで、父が心から笑っている数少ない場面です。小説の冒頭は次のようにして始まります――「僕の父は陰気だ。三年前に退職した。あまり喋らない。放っておくと何日でも黙っている」(5頁)。いったい何が父をそんなふうに変えたのでしょうか。

❁ ❁ ❁

『ファミリー・ライフ』は自伝的小説だと言いました。出来事の細部については創造的な改変がなされていますが、書かれていることのすべてが書き手であるシャルマ自身が実際に経験してきたことです。

アメリカに渡ってほどなく、シャルマの兄は猛勉強をして、名門高校の入学試験に合格します。ところが直後の夏休みに事故に遭います。飛び込んだ際にプールの底で頭を打って、水中に三分間沈みます。わずか三分。しかしその三分が兄の脳に致命的なダメージを与えてしまいます。そこから三〇年近くに及ぶ長い兄の介護が始まります……。

この小説を書くのにシャルマは一二年半を要したそうです。これは彼にとって絶対に書かなければならなかった小説です。しかしなかなか書けません。何度も何度も書き直します。むなしくページが増えていくばかりです。なんとなくですが想像できる気がします。多かれ少なかれ誰にでも思い出したくない記憶があるはずです。ある日、それを書くことを決意します。しかし抵抗は大きいはずです。かりに書けたとしても、それが自分の実感をリアルに表現していると感じられるかどうか、言葉が現実を歪めていないか、裏切っていないか……。

これに関して、この小説の後半に興味深い一節があります。ずっと誰にも言わずにいた本当の兄の姿、兄の回復の見込みのない状態のことを、アジェが恋人であるミナクシという同級生に語る場面です。

ミナクシに兄のこうしたさらなる脳の損傷の話をするたびに、僕は校舎に戻り、アイスクリームをひとつ買った。彼女に話をするのは、ひどく大きなストレスを解放することに似ていた。アイスクリームを食べるのは、いわばショックのあと座り込むよう

なものだった。（159頁）

誰しもこれに似たような経験があるのではないでしょうか。真実を語る、書くということは、その真実が目をそむけたいものであればあるほど、心身を疲弊させるものです。シャルマが、過去に起こった出来事の光景やそこで感じ考えたことを克明に書こうとすれば、忘れたいつらく悲しい真実を思い出すことになるでしょう。しかし作家シャルマは、自分の心のうちに起こった醜い感情を隠すことはできません。

兄がプールで事故に遭ったという知らせがあり、語り手のアジェは伯母に連れられて現場に行きます。人だかりができています。しかし何が起きたかはわかりません。

僕は来た道を引き返した。うつむいて歩道を歩いた。苛立っていた。ビルジュはブロンクス理科高校に合格した。それが今度は病院に入ることになる。母は兄をかわいそうに思って、プレゼントをあげるに決まっている。

歩きながら考えた。ビルジュは釘でも踏んづけたのだろうか。もしかして死んじゃったとか。そう思うとゾクゾクした。もし兄が死んだとしたら、僕はひとりっ子になってしまう。

太陽がひどく重苦しく感じられた。ビルジュが病院に運ばれたのだから、僕はたぶん泣くべきなのだろう。

一人で家にいる自分の姿を思い浮かべた。ビルジュはこれから入院することになるのに、僕は普段と変わりばえのしない一日を過ごしただけ。来年、ビルジュはブロンクス理科高校に通えるのに、僕はいまの学校に通わなくてはいけない。そんなことを考えていると、ようやく涙が出た。（42頁）

兄が事故に遭ったと知って、弟は同情するどころか、激しい羨望をかき立てられるのです。ひとりっ子になれるかもしれないと死を望んでもいます。そして状況的に泣くべきだと考えますが、悲しみの涙は出ません。むしろ自分を憐れむことでようやく泣けるのです。入院した兄のところに母が夜行バスに乗ってやって来ます。そのとき、アジェが考えるのはやはり自分のことです。「母の姿を見たとたん、泣いていないのを見咎められやしないかと心配になった」（44頁）。

もちろん、これはいかにも子供らしい反応だと言えます。じじつ入院した兄と対面して、ことの深刻さを理解したとき、アジェの反応は変わります。母と一緒に家で祈りをあげ、何週間も兄のそばに座って、『ラーマーヤナ』を朗唱します。「喉がヒリヒリして舌と歯茎が痛くなるまで」祈るのです。しかし兄の状態は絶望的です。目を開けたまま眠っているように見えますが、目覚めることはありません。もう二度と言葉を喋ることもありません。

大きな音がすると、音の方向に顔を向けた。それから頭を元の位置に戻し、動かなくなった。しばしば唇をぴちゃぴちゃ鳴らし、ぺッとつばを吐いた。時おり発作を起こした。口がぎゅっと閉じられ、歯をギシギシ食いしばった。体は硬直し、腰はベッドから浮き上がり、ベッドがガタガタ震え出した。それを目にすると本当に怖くなった。僕はベッドのそばに立ちつくし、柵越しに兄を見つめながら途方に暮れた。（47頁）

決して裕福ではない移民の家庭にとって、回復の見込みのない兄の介護は非常に重い負担です。退院後は、いくつかの介護施設に兄を入所させるのですが、どの施設でも満足のゆくケアは受けられず、母は自宅で息子を四六時中そばに置いて介護することを望みます。

「毎晩、家に戻るとき、この子を階段の吹き抜けに置き去りにしていくような気がする」と母は言った。急いでベッドの向こうに回ると、ベッドと壁のあいだに体を入れた。そばに来て兄を横向きのまま支えておくよう僕に言った。僕は両手で兄の腕とお尻を押さえた。まるで水でもかけられたみたいに兄はぐっしょり汗で濡れていた。母が枕を抜くと、僕はゆっくりと兄をあお向けに寝かせた。（79頁）

母の息子への愛情に胸を打たれます。家族は自宅を購入し、在宅での介護という母の希望は叶います。

❁ ❁ ❁

病気の子供を献身的に看病し続ける家族は、地域のインド人コミュニティで評判になります。とりわけ母はその自己犠牲ゆえにほとんど聖人のように見なされ、人々が母からの祝福を求めて自宅を訪問するようになります。とくに試験前になると、よい成績を取れるように、母のもとに子供を連れてやって来る人たちが増えるのです。「苦しみ、犠牲に身を捧げている人を見ると、気高く聖なる存在だと考えてしまうのは、インド人にはよくあることだった」（126頁）と語り手のアジェは言います。しかし、それはなにもインド人に限られたことではないでしょう。途方もない逆境にあっても、おのれを犠牲にして他者のために骨身を削って努力している人を見ると、心を打たれるのは人間の自然な反応です。そして、その苦難ゆえにその当事者が人間的に素晴らしいと感じてしまう――「艱難《かんなん》汝を玉にす」という言葉があるように。

しかしアジェの家庭は、先の見えない長く続く介護によって、それぞれが人格的に磨き上げられていくどころか、むしろじわじわと蝕まれていきます。

インドでは一滴も酒を飲まなかった父が逃げ場を求めるように毎日のように酒を飲んでひどく酔っ払うようになり、会社を無断欠勤するようにさえなります。

一方、母にも変化が生じます。藁にもすがる思いで、「奇跡の使い手」という、祈りだけで病気が治せると主張する者や、ターメリックの粉末の入った風呂に兄を入れて治療しようとする者など、いかがわしい民間療法士を次々と自宅に招き入れるようになるのです。もちろん何ひとつ兄の状態は改善されません——目は見えず、言葉を発することもできません。食物を嚥下《えんげ》することもできないので、胃に直接つながれたチューブから栄養を摂取するしかありません。


毎朝、母はキッチンにこもって、メータ氏（引用者註・「奇跡の使い手」です）のために手のこんだ昼食を作った。（中略）キッチンにいる母を見ていると胸が痛んだ。ビルジュはきっとよくなると母は強く信じている。でもそれは、僕たちを愛していないということではないか？　僕たちの面倒をみるよりも愚かしいことを信じるほうが大切なんだ。自分が希望を持てるのだったら、僕たちが傷ついてもかまわないんだ……。

（112頁）

父と母と語り手は、それぞれがおそらく同じくらい苦しんでいます。しかし、それを分かち合って、たがいの痛みを和らげることができないのです。それぞれが自分の悲しみのなかに深く沈み込み、孤立していくのです。

父の飲酒は深刻になっていった。初めは週末の朝だけに限られていた混乱は週日にも広がっていった。ときには二日酔がひどくてビルジュを風呂に入れられなかった。（中略）そんなとき、兄を風呂に入れるのは僕の役目になった。ビルジュの上体を起こしたままバスタブのなかに立って、たるんだ胸とぴんと張ったおなかを感じながら、兄の体を石鹼でごしごし洗っていると、思わず涙がこぼれた。僕たちは良い人間ではない。かわいそうな兄は助けを必要としている。なのに僕たちにはそれにふさわしい善良さが欠けている。

両親の喧嘩はすさまじく、怒りで壁が震えるほどだった。キッチンテーブルに置かれたバナナの皮とか庭の芝生の上に一晩放っておかれたホースとか、些細なことから激しい罵りあいが始まった。怒りはあまりに唐突で常軌を逸していたので、その原因とおぼしきこととは無関係に思えるほどだった。とても現実とは思えなかった。

（134頁）

こういう経験をしていたとき、語り手のアジェはまだ中学一年生です。つらい日々のなかでアジェ少年の避難場所となったのが読書でした。本を読んでいるときだけ現実を忘れることができます。SFやファンタジーの物語を読むのが大好きだったアジェは、中学三年生のときに、偶然ヘミングウェイの伝記を読みます。医者でもエンジニアでもないのに、世界中を旅して、自分の好きなことをやっている人がいた、ということにナイーブに驚きつつ、少年はなぜか大きな幸福感を覚えるのです。彼は作家になることを夢想します。そして図書館に行くと、ここが面白いのですが、ヘミングウェイの書いた本ではなくて、ヘミングウェイの研究書をたくさん借りてくるのです。「彼の本が読みたいのではなく、どうやったら作家になって有名になれるのか知りたいだけ」だからです。正直で笑えます。

そうやってヘミングウェイ作品を論じる文章を読みながら、アジェはこの作家の文体の魅力を生み出す仕掛けについて学びます。さらに、論じられているような効果が実感できるかどうか確かめようと、実際にヘミングウェイ作品を読み始めるのです。初めはなかなか作品の世界に入り込めません。しかし、ついにヘミングウェイの世界に没入できたとき変化が起こります。世界の見え方が変わる――それがアジェの得た実感です。

黙って苦しむことに重きを置いているように見えるヘミングウェイを読み続けているうちに、わが家の苦悩がひとつの物語のなかに含まれているように見えてきた。朝、ビルジュを入浴させている父を見つめながら、父のパジャマが濡れて、下着が透けて見えるまで透明になる様子を書いてみたいと思った。

（144頁）

ここでアジェは、「自分の人生を観察しているような一種の距離感を同時に経験した」とも感じています。他者の書いた物語のなかに、自分の苦しみが書き込まれているように感じられること。そのとき人は物語にやさしく迎え入れられている――歓待されているとは言えないでしょうか。そのような読書経験をしたことがあるのは、アジェ少年だけではないはずです。自分の苦悩や痛みを物語が一緒に耐えてくれる。だからこそ、心に余白が――物語に譲り渡した苦しみの分だけ――生まれ、自分の人生から少しだけ距離を置いて周囲を見渡すことができるのでしょう。それは書くことも同じかもしれません。ヘミングウェイを四、五ヶ月読み続けたあと、少年は自分でも物語を書こうと思い立ちます。最初に書いたのは、兄の咳についての物語です。夜中に兄が咳をする音に目覚めて眠れなくなってしまったことを題材にするのです。兄と自分の物語が、咳をする妻とそれを聞いて眠れない夫の話になります。「それが兄だと僕にとってはあまりに具体的すぎた」。しかし物語を書きつけたことで、彼の悲しみは和らげられ、兄への愛がより強くなります。

何かを書きつけ、それが現実の存在になるというのは不思議な感じがした。文が存在することで、ビルジュの咳が実際よりもどこか恐ろしくなくなった。

ベッドに座ったまま、どうやって物語を終わらせようかと考えた。紙の上でじっと鉛筆を握っていた。ヘミングウェイについて僕が読んだ論考によれば、僕がやらなければならないのはただひとつ、物語の最後に、思いもよらない、それでいて自然にも思えることをつけ加えることだった。

ビルジュが死にかけているところを想像した。それは将来的に起こることだった。想像するやいなや、死んでもらいたくないと思った。わっとビルジュへの愛が湧き上がるのを感じた。病気で、むくみきっていたけれど、兄に死んでもらいたくなかった。

（１４６〜１４７頁）

このとき、作家シャルマが誕生したのだ、と言うと言い過ぎになるでしょうか。もちろん、シャルマが言葉の本当の意味で作家になるのはもっとあとです。シャルマはプリンストン大学を卒業後、スタンフォード大学の創作プログラムに進み、在籍中に二度O・ヘンリー賞を受賞しています。その後、ハーバード大学のロースクールに進み、投資銀行で働くようになりますが、自分の本当にやりたいのは、書くことだと銀行を辞めて専業作家になりました。しかし最初の長篇を二〇〇〇年に発表してから、この『ファミリー・ライフ』を刊行するまで、これほど時間がかかることになるとは彼自身も想像していなかったにちがいありません。一二年半を費やして完成させたこの作品で、シャルマはフォリオ賞、国際IMPACダブリン文学賞と立て続けに国際的な文学賞を受賞します。

『ファミリー・ライフ』は、余計なものをそぎ落とした、きわめてシンプルな文体で書かれています。なのに、いま引用した文のなかでは「死んでもらいたくないと思った」「兄に死んでもらいたくなかった」と、まったく同じ内容の表現がくり返されています。そのことに注目したいのです。I did not want him gone と英語の原文ではまったく同一の文です。なぜくり返されなければならなかったのでしょうか。兄の咳についての物語を書こうとしていた当時のアジェ＝アキール少年の心の叫びが、それからほぼ三〇年後、その瞬間のことを書きつけようとしていた作家アキール・シャルマの心を揺さぶっていたからではないでしょうか。「行かないで。行かないで」。たとえ兄が行ってしまったとしても――なぜなら文学は病を治すことはできないから――、こうして書きつけられた二つの叫びのあいだで、弟の兄への愛は変わることなく反響し続けています。

『ファミリー・ライフ』拙訳、新潮クレスト・ブックス

5 言葉の外に耳を澄ます

小川洋子『ことり』

いまからもう二〇年ほど前、フランスのパリに住んでいたころ、毎日のように近所の大きな書店に足を運んでいました。そのうち、ひとりの書店員の男性と親しく話をするようになりました。「面白い小説はある?」と尋ねると、いろいろと僕に本を薦めてくれます。ある日、お約束のようになったその質問をすると、Yoko Ogawa がいいよ、といつもの真面目な顔つきで彼が答えました。そうかあ、じゃあ、その作家も読んでみるかなあ、と頷きながら、僕ははっと気づきました。「いや、それは日本語で読めるから」と言うと、彼も「あ、そうだよね」と照れたように笑いました。小川洋子は、村上春樹と並んで、フランスで、もっとも読まれている日本の現代作家だと思います。彼女の主要作品のほとんどはフランス語に翻訳されています。今回取り上げる『ことり』も二〇一四年にフランス語訳が刊行されています。

どうして小川洋子はこんなにもフランスで読まれているのでしょうか? これまでフラ

ンスでよく読まれてきた日本の作家として谷崎潤一郎や川端康成、三島由紀夫が挙げられます。もちろん文学作品として素晴らしいからでしょう。しかしそれに加えて、読者はこれらの作家たちのなかに「日本的なもの」を見出しているように見えます。「ジャポニスム」という言葉に象徴される、ある種のエキゾチシズムのような魅力を感じているのもたしかだと思うのです。

しかし小川洋子の作品を読んでいても、あまり日本的だとは感じられません。小川洋子の愛読者が気づいているように、小川洋子の作品には、語られている物語の舞台がどこの国であってもおかしくない不思議な無国籍性があります。舞台となっている土地の固有名から、あるいは描写されている風景や風俗から日本を舞台にしていることがほぼ明らかであっても、日本を舞台にしている小説だということを忘れてしまいそうになります。もしかすると、人物たちに固有名があまり与えられることがないからかもしれません。もちろん全作品を見直したわけではないので、これはあくまでも僕の印象ですが、彼女の作品の印象的な人物というのは、どちらかというと外国語の響きを持つ名を持っているように思えるのです。ミーナ、リトル・アリョーヒン、ブラフマンなどなど。

今回読む『ことり』においてもまた、登場人物たちの名前も、彼らがどこに暮らしているのかも、具体的に提示されることはありません。

物語の冒頭で、ひとり暮らしの老人が死んでいるのが発見されます。周囲の人たちから「小鳥の小父《おじ》さん」と呼ばれる男性です。倒れた彼の腕のなかには鳥かごがあり、小鳥が一羽飼われています。いったいどのような生涯を送ってきた人物なのでしょうか。小説は彼の生涯を振り返っていきます。

❁❁❁

「小鳥の小父さん」には「お兄さん」がいます。二人の兄弟は長いあいだ、たがいを支え合うようにして一緒に暮らしてきました。ただ、この兄がずいぶん風変わりな人なのです。一一歳を過ぎたころから、周囲にはまったく理解のできない不思議な言葉を喋り出すようになります。心配した母親は長男を治療しようとさまざまな療法を試みるのですが、うまくいきません。挙げ句の果てには、相談に行った言語学者から「単なる雑音」と言われてしまいます。しかし弟である「小父さん」（まだ「小父さん」ではなくて子供ですが）には、兄の発している音が、厳密な文法規則と豊かな語彙《ごい》を持つ洗練された言語であることがわかるのです。

しかし最も特徴があるのは発音だった。音節の連なりには、誰も真似できない独特な抑揚と間があった。ただ単に独り言をつぶやいているだけの時でも、まるでお兄さん一人にしか見えない誰かに向って、歌を捧げているかのように聞こえた。一番近いのは何かと聞かれれば、それはやはり、僕たちが忘れてしまった言葉、といつかお兄さんが言い表わした、小鳥のさえずりだった。（33頁）

兄がそれまで使っていた言語（明示されていないのですが、日本語でしょう）とこの新しい言語には共通する単語がひとつ存在します。「ポーポー」という語です。これは兄が近所の商店で買う、色つきの包装紙でくるまれた棒付きキャンディーのことです。そして弟しか理解できないこの言語で兄が話題にすることと言えば、もっぱら小鳥のことなのです。兄の生活はきわめて厳密なルールによって成り立っています。成長した兄弟は両親が亡くなったあとも実家で二人だけの生活を続けます。弟はゲストハウスの管理人の仕事を見つけ、その特殊な言語ゆえに弟（とたぶん小鳥たち）をのぞけば誰ともコミュニケーションできない兄の世話をしています。兄がひとりだけで外出するのは、近所の商店（のちに代替わりして薬局になります）にキャンディーを買いに行くときと、やはり近所の幼稚園にある鳥小屋を見に行くときだけです。

いや、それだけではありません。小父さんの提案で、兄弟は一緒に旅行にも出かけるようになります。

一年に一度か二度、小父さんが旅行の計画を立て、それに合わせてお兄さんが荷物の準備をした。火山湖のほとりで釣りとキャンプ、山奥の修道院見学、保養施設で湯治、ボートでの運河下り、雪山の貸し別荘でスキー、孤島で海水浴、石器時代の遺跡と博物館見学……。（63頁）

これだけ聞くと、実にいろんなところを旅しているようです。プランを立てるのは小父さんで、荷造りをするのはお兄さんと役割分担もできています。兄は床に必要な品々を並べ、ていねいにボストンバッグに詰めていきます。そして荷物を詰め終わって、さあ出発……と思いきや、そこで二人の旅行は終わるのです。つまり兄弟は荷造りはするものの、実際には決して出かけることはありません。彼らの旅はあくまでも空想上のものなのです。それでも最初の旅行の試みの際には、二人は家の外まで出かけます。

その時二人は路地を曲がり、幼稚園の鳥小屋の前に差し掛かった。夏休みで人影はなく、ただ小鳥たちだけが普段どおり元気に飛び回っていた。

「家へ帰る」

足を止め、フェンスにもたれ掛かってお兄さんは言った。

「えっ？」

と小父さんは聞き返した。

「家へ帰る」

お兄さんは同じ言葉を同じ調子で繰り返し、ボストンバッグを提げたまま、いっそう強くフェンスに体を預けた。鳥小屋を見学する指定席のようになっているそこは、既に体の形に沿ってへこみができていた。そのへこみの中にお兄さんはすっぽりと納まった。（61〜62頁）

一緒に行くと言っていたのが、突然気持ちを変える。ふだんから習慣的に身を落ち着けている場所にとどまって動こうとしない。兄は泣きわめいたりしませんが、何となく駄々をこねる子供のようでもあります。「以来、兄弟はどこにも旅行しなかった。二人が一緒に出掛けるのは幼稚園の鳥小屋の前まで、といつしか決まっていた。家から鳥小屋までの間に、お兄さんに必要な場所、内科・胃腸外科の個人医院と歯医者と理髪店と眼鏡屋と電気店と青空薬局は、全部揃っていた。他にどこに行く必要もなかった。ただ、ボストンバッグに荷物を詰めるだけで十分だった」(62〜63頁)。

空間的に非常に限定された生活圏のなかで、二人の生活は充足しています。誰の邪魔にもならず、独立した生活を送っているように見えます。

しかし兄の生活を自立した生活と呼べるかどうかは疑問です。小父さんが、自宅から自転車で一〇分くらいのゲストハウスを職場に選んだのはどうしてでしょうか。理由は明白です。「時間の融通がきくその仕事ならば、何か気になることがあっても、お兄さんの様子を見にすぐ家へ帰れるからだった」(47〜48頁)。

兄が毎週水曜日にキャンディーを買いに行くようになったのは、そもそも生前の母親が長男にとって「社会訓練」になればと考えたからです。母の死後、それは儀式化しています。さらに弟は、兄にガスの火の始末や、外出の際には家に鍵を掛けるよう、必ず――それこそ儀式のように――声をかけます。このときの小父さんはまるで、外出する際に家に残す子供に注意を喚起する母親のようです。じじつ兄と弟の二人暮らしのなかで、弟はたえず兄の面倒を見ています。

たいていの週末、ゲストハウスの仕事は休みだったが、二人はほとんどどこへも出掛けなかった。小父さんはせいぜいスーパーで買い物をするか、図書館へ行くくらいで、あとは掃除をしたり、仕事が遅くなった日のお兄さん用の料理を冷凍したりしているうちに、休日は過ぎていった。シチューを煮込み、コロッケを丸め、シューマイを包んでいる小父さんのそばでお兄さんは、庭の野鳥の声に耳を澄ませていた。(55頁)

兄はたしかに、週日は自宅に昼食を食べに帰る弟のためにポタージュスープを温めることはできます。しかし弟に注意されなければ、好物の卵とコンビーフしか食べません。さらに先の空想上の旅行においても、兄の荷物の準備の仕方は、「マニアック」と呼びたくなるほど、ある一定の秩序にしたがって緻密に執拗になされるのです。

この兄は明らかに日常生活をひとりで送ることができないのです。他者とコミュニケーションが取れず、型の定まったいくつかの行為で日常生活が構成され、変化をひどく嫌う。弟のケアがなければたぶん生きていけない……。そういうことを示唆する表現はいっさい書かれていませんが、この兄は精神的・知的なハンディキャップがある人のようにも感じられます。

鳥の言葉が理解できることに加え、彼にはもうひとつ特別な才能があります。長年のあいだ毎週買い求めることでかなりの量になったキャンディーの包装紙を糊で実に器用に貼り合わせて、そこから小鳥の形をしたオブジェを切り出すのです。

これは見た目ほどに単純な作業ではないと、小父さんは理解した。お兄さんはただ包装紙を糊付けしているのではなく、ほんの少しずつ端をずらして縁がなだらかな斜面になるようにしながら、同時に、重なり合う色が濁らず、微妙に美しく変化するよう配色にも気を使っていた。

人差し指に適量糊を取り、新聞紙の上で包装紙の裏にのばし、一ミリにも満たないずれ幅を目分量で測りつつ、重ね合わせてゆく。延々、その繰り返しだった。（中略）目分量を誤って斜面の角度が不自然に変化することもなかった。同じように見えても包装紙は一枚一枚、裁断の具合によってわずかな誤差があったが、お兄さんの指はそれを素早く感じ取り、微調整してゆくだけの能力さえ備えていた。（43頁）

兄の指は、包装紙を裁断する機械よりも正確に微妙な変化を感知することができるかのようです。そして、きれいに厚く貼り合わされた包装紙から、カッターを使って、「羽を広げ、胸をふくらませ、空を飛んでいるレモンイエローの小鳥」を切り出し、安全ピンをつけてブローチにするのです。

この場面を読みながら、僕は「アール・ブリュット」あるいは「アウトサイダーアート」の作家たちのことを思い出しました。この小鳥のブローチはまさに、芸術の専門的な教育を受けたことのない、心身にハンディのある人たちが創造するアート作品のようだと。『ことり』の次の長篇小説である『琥珀のまたたき』の刊行の際、僕は著者にインタビューする機会があったのですが、『琥珀のまたたき』の執筆に際しては、「アール・ブリュット」のことが念頭にあったと著者は話していました。しかし、すでに『ことり』においても、「アール・ブリュット」の作り手として小父さんの兄は描かれているように感じます。

❁ ❁ ❁

兄のように器用にものを作り出すわけではありませんが、主人公である小父さんにも特殊な能力があります。兄の死後、彼の楽しみは図書館の分館に通って鳥に関わる本を読むことです。

いつしか小父さんは書棚の前に立ち、背表紙に目を走らせるだけで、求める本をパッと見つけることができるようになっていた。それを読みたいか読みたくないかは問題ではなく、大事なのはただ一点、鳥がいるかいないかだけだった。たとえそこに『鳥』

の一文字がなかろうと、鳥とはどんなにかけ離れたタイトルであろうと、小父さんの目は誤魔化せなかった。本の奥深くに潜むさえずりがページの隙間から染み出してくるのを、小父さんの耳は漏らさず捕らえた。その一冊を抜き取り、ページをめくると、案の定そこには鳥の姿があった。分館に収蔵されて以来まだ誰の目にも触れていないページに、長く身を隠していた鳥たちは、「やれやれ」といった様子で、小父さんの手の中でようやく翼を広げるのだった。（126頁）

そのうち、分館に勤める若い女性司書と小父さんは言葉を交わすようになります。本のなかにひそんだ鳥をあやまたず見つけることのできる彼ですが、自分が心に抱いている感情が恋であることにはっきりとは気づいていないようなのです。鳥との関係とはちがって、人間との関係がうまく構築できない人なのです。

僕は『ことり』を初めて読んだとき、これは「取り繕えない人たち」の物語だと思いました。自分自身に正直に生きることによって、この世界において居場所をうまく見つけられず、社会の片隅でひっそりと暮らしている人々。両親に残された家をいわば「巣」のようにして生きるこの兄弟自身が、彼らの愛してやまない小鳥のようでもあります。「彼らは二人だけの巣を守って暮らした。それは目立たない葉陰にそっと隠されていた。小枝は精巧に組み合わされ、程よい広さを保ち、敷き詰められた藁《わら》は柔らかかった。そこには二人分の居場所しかなく、他の誰一人入り込む余地は残されていなかった」（103頁）。それは平穏な日々でしょう。しかし、どんなに隠れても時間からは逃れられません。二人は老いていきます。兄は五二歳で亡くなり、小父さんはひとりぼっちになります。彼らの巣である家もまた、繁茂する草木に覆われ、荒れ果てていきます。そこに、過疎の地方出身である僕は、帰省のたびに目にすることの増えた空き家を重ね合わさずにはいられませんでした。庭の緑が生い茂り、そこから小鳥たちのさえずりが聞こえてきます。あの空き家には、そういえば年老いた姉妹が二人で暮らしていたなあ……と。

そのような他と孤絶した巣を描きながらも、小川洋子の言葉は社会の片隅に生きる人々を優しく照らし出し、そこに、すべての読者のための居場所を、巣を作り出してくれる——それが僕の実感でした。

しかし今回再読してみて、僕はこの作品に満ちている明るくポジティブな力を見落としていたことに気づきました。

小父さんと兄は、要領よく生きることのできない、どこまでも不器用な人たちです。社会の縁でひっそりと生きている人たち。しかしこの二人はとても利他的な人たちです——他人の目に触れない、関わらない、だから迷惑をかけることも少ないという消極的な意味合いにおいてではなく、もっと積極的な意味合いにおいて。なぜなら、明らかに彼らは自分以外の存在の幸福のためにみずからの身と心を捧げているからです。

もちろん利他的と言うとき、兄にとっての「他」とは、人間ではなく小鳥たちでしょう。兄を喜ばそうと弟が小鳥を飼おうと提案したとき、兄はかたく拒絶します。「小鳥は幼稚園にもいる。庭にもいる。世界中、どこにでもいる。どれが自分のかは、決められない。だから、自分の小鳥はいらない」(93頁)。兄が願っているのは小鳥の自由であり幸福なのです。彼は自分にとって大切なものを、大切だからこそ所有しようと思わない。

もちろん兄が他「人」のことを考えないわけではありません。兄が小鳥のブローチを作るのは母のためですし、母の死後は自分がキャンディーを買う薬局の店主にこれをプレゼントしてもいます。

この兄の存在は、現実的には弟に守られ、弟に依存して生きているのだとしても、きわめて創造性に溢れたポジティブな存在だと言えます。「小鳥のさえずり」に近い言語を作り出し、キャンディーの包装紙という使い捨てにされる運命にあるものを小鳥のブローチとして甦らせるのです。

なるほど、兄の言語は弟にしか理解されず、兄の死とともに消失してしまいます。小鳥のブローチも芸術作品として評価されるわけではありません。兄の創造性はあくまでも無償のものなのです。しかし、だからこそ貴く、人の心に残るとは言えないでしょうか。

利他的という点では小父さんもそうです。兄の死後、小父さんは兄と一緒に眺めていた幼稚園の鳥小屋の掃除をすることを申し出ます。それはボランティア＝無償の行為です。せめて掃除の道具代を支払いたいと園長に言われても、かたくなに受け取りません。

この鳥小屋掃除は長年にわたって小父さんの生活の中心をなす作業となるでしょう。その小父さんの働きぶりは禁欲的です。

小父さんはひたすらに掃除をした。金網と木枠のつなぎ目、床の窪み、餌箱の底、天井の四隅、藁巣の隙間、いくらでも掃除すべき場所はあった。どんな小さな空間にも、餌の殻か抜けた羽根か干からびたフンのどれかが入り込んでいた。水は冷たく、手はすぐにかじかんできたが気にならなかった。体を動かせば動かした分だけ、長年に亘《わた》って堆積した汚れが少しずつはがれ落ちていった。（中略）

補給された餌箱は安心感に満ち、水浴び用の水は金網をすり抜けてくる朝日を受けて光り、乾きはじめた床には、ブラシの跡が模様になってゆっくり浮かび上がろうとしていた。その時、頭上の一羽がその朝最初の歌をうたい出した。（121頁）

これまで引用してきた部分を振り返ってください。兄の話す言語（弟以外の誰にも通じません）、兄弟の旅行（実際に行なわれることのない空想上のもの）、兄が包装紙から作るブローチ（「アール・ブリュット」を想起させますが、芸術作品として評価されるわけではありません）、小父さんの鳥小屋掃除（見返りを求めることのないボランティア活動です）。どの引用部分においても、その描写は実に緻密でていねいです。そしてお気づきのように、これらは基本的にどれも功利的な目的とまったく結びつかないものや行為ばかりです。『ことり』においては、一見、無用で無償なものを描くときほど、そもそも端正で美しい小川洋子の文体の精度は増し、文章からは静かな慈しみと愛おしさがより輝きを増しながら溢れ出します。

小説はその後、小父さんの身に起こった悲しい出来事を記述するでしょう。そのことは、僕たちの社会にはまだこうしたマージナルな人たちを受け入れる準備ができていないということを示唆しているのかもしれません。

しかし兄のために作業に没頭する小父さんは決して忘れ去られるべき不可視な存在ではありません。鳥たちは見ています。小川洋子も見ています。小父さんの頭上で歌い出した小鳥の歌は、兄の言うとおり「僕たちが忘れてしまった言葉」なのでしょう。しかし小川洋子は忘れていません。小川洋子の小説の言葉——それは、社会の片隅に生きるささやかで慎ましい存在にまなざしを向け、ちょうど、傷ついた幼鳥を、この「あまりに軽く、柔らかく、油断すれば一瞬でばらばらになってしまいそうであるのに、とても温か」（255〜256頁）な小さな存在を、両の手のひらで包み込むときと同じ優しさで包摂する普遍的な言葉なのです。

『ことり』朝日文庫

6 絶対的な孤独としての一本の木

ハン・ガン『菜食主義者』

前回、小川洋子の『ことり』についてお話をしました。そこでは触れられなかったのですが、主人公の小鳥の小父さんは物語の後半で傷ついたメジロの幼鳥を保護します。小父さんの手当てのおかげで回復したこのメジロは見事な鳴き声で歌うようになります。いちばん最後で引用した「あまりに軽く、柔らかく、油断すれば一瞬でばらばらになってしまいそうであるのに、とても温か」という一節は、小父さんがこのメジロの幼鳥を手にすくい上げたときの実感を描写した部分です。小父さんの手を通じて命の尊さがたしかに伝わってきます。

ところが、別の小説のなかで同じように人の手のなかにあっても、まったくちがう運命をたどるメジロがいます。

私は妻の握りしめた右手を広げた。妻の手の中から、首をしめつけられていた一羽の鳥がベンチに落ちた。羽毛がところどころ抜け落ちた小さなメジロだった。その体には、捕食者に噛まれたような荒々しい歯形に、赤い血の痕が鮮やかににじんでいた。

（84〜85頁）

強烈な情景です。メジロは死んでいます。歯形がついているということは、このメジロに噛みついたのは、「妻」なのでしょうか。そうだとしたら、どうして彼女はそんなことをしたのでしょうか。

引用したのは、韓国の女性作家ハン・ガンの『菜食主義者』（二〇〇七年）の一節です。『菜食主義者』の英語訳は、二〇一六年にマン・ブッカー国際賞を受賞しました。かつてブッカー賞と呼ばれていたマン・ブッカー賞をご存知の方は多いはずです（二〇一九年からふたたびブッカー賞の名称に戻りました）。もともとイギリスと英連邦諸国で書かれた長篇小説を対象とする文学賞で、本書で扱うカズオ・イシグロとJ・M・クッツェーも受賞しています。二〇一四年からは、地域を限定せずに英語で書かれた世界中の長篇小説を選考対象とするようになりました（アメリカで書かれた小説も対象になりました）。国際賞はそのマン・ブッカー賞に二〇〇四年から新設された賞で、外国文学作品の優れた英語訳に与えられるものです。ハン・ガンは東アジアの作家で初めてこの賞を受賞しました。現代韓国文学の代表的な作家であるハン・ガンについて調べていて、驚くべき（？）事実を発見しました。彼女と僕は生年月日がまったく一緒なのです。それで嬉しくなって、この小説を取り上げたわけではないのですが……。

＊＊＊

『菜食主義者』は三つの部分から構成されています。もともと独立した三つの中篇小説として発表されたものですが、同じひとつの出来事を異なる三人の視点から描いた長篇小説と言ってもよいかもしれません。その三つの物語をつなぐ中心的出来事が、ソウルに会社員の夫と暮らすヨンへという女性の身に起きた変化です――彼女はある日、肉や卵を食べるのをやめて菜食主義者になるのです。表題作でもあるひとつ目の物語「菜食主義者」は、ヨンへの変化に戸惑う夫の視点から一人称で――つまり夫の声で――語られます。何が夫を困惑させるのか。そう不思議に思う人がいるかもしれません。たしかにいまや菜食主義はそれほど珍しいことでなく、菜食主義者の友人や知人のいる方も少なからずいるでしょう。しかしヨンへは宗教上、健康上の理由から、あるいは動物の命を奪いたくないという個人的な信条から、菜食主義者になることを選択したわけではないようです。

ある朝、ヨンへが台所の床に、冷蔵庫のなかにあった豚肉や牛肉やイカやウナギといった食材をぶちまけているのを目にして、夫は仰天します。どうして捨てるのだ、と怒鳴りつける彼に妻は一言だけ答えます――「夢を見たの」と。

この夢の内容をヨンヘは夫に語ろうとしません。理由がわからないこと、説明がつかないことに対して、人は不安を覚えるものです。しかもヨンヘは結婚前はむしろ肉料理をおいしそうにたらふく食べていた人なのです。それが肉をまったく食べなくなり、夫の毛穴から肉の臭いがするといって接触を避けようとする始末です。健康状態も悪化していくようです。

妻の顔は長い間の不眠症のため黒く焼けていた。知らない人には重病を患っている患者のように見えるだろう。いつものようにブラジャーをせずに白いTシャツを着ているので、よく見ると薄茶色の乳首が染みのように映っていた。（57頁）

ヨンヘが菜食主義者になることを決めた原因となった夢の内容は夫には知られることがないままですが、読者には、その夢とおぼしきものが、テクストにちりばめられた書体を変えた文章によって提示されます。それは次のようなものです。

また夢を見たわ。

誰かが人を殺して、他の誰かがそれをまんまと隠してくれたんだけれど、目が覚めた瞬間に忘れてしまったの。わたしが殺したのか、それとも殺されたのかを。殺したのがわたしなら、この手で殺したのは誰だったのだろう。もしかして、あなただったのかしら。とても近しい人だったのだけれど。でなければ、あなたがわたしを殺したのかも……（45頁）

この「あなた」が誰なのかは、わからないままです。あるいは――

今では五分も寝ることができない。ふっと意識が抜けるとすぐ夢を見るの。ううん、夢とも言えないわ。短い場面が断続的に押し寄せてくるの。ぎょろつく獣の目、血の形、えぐられた頭蓋骨、そしてまた猛獣の目。わたしのおなかから這い上がってきたような目。震えながら目を覚ますと、わたしは自分の手を確かめるの。わたしの爪がまだやわらかいか、わたしの歯がまだおとなしいか。

わたしが信じるのはわたしの胸だけよ。わたしはこの胸が好き。胸では何も殺せないから。手も、足も、歯と三寸の舌も、視線さえ何でも殺して害することのできる武

器だもの。（54〜55頁）

恐ろしい目をした獣は自分の内側にあります。他の命を奪って自分の栄養とする存在が、同時に命を奪われる存在でもあります。いっけん無害な身体器官が容易に他を徹底的に傷つけ破壊する手段に変わりうること。奪われることと奪うことがヨンへの体のなかでせめぎ合い、その葛藤を受け止めきれずにいるかのようです。これは食物連鎖のなかに生きる僕たちの誰もが無意識に見ている夢ではないでしょうか。彼女が言葉を向ける「あなた」は、僕たちの誰であってもおかしくはないのです。そして思うのです。かりに菜食主義者になろうとも原理的にはこの夢からは逃れられないのではないかと。たとえ植物であれ、それを食べれば、その命を奪い、破壊することになるのですから。

しかしヨンへが恐れているのは、たぶん人間と同じく、傷をつければ血が流れ出す他の生き物を食べることなのでしょう。じじつ彼女が取り憑かれる夢について独白する部分は血のイメージで溢れています。彼女にとって食物連鎖とは血の連鎖なのです。肉を食べないことによって、この血の連鎖からみずからを切り離そうとするのです。

その意味で、姉インへとその夫が新しいマンションに引っ越したお祝いの席で起こった事件は注目に値します。そこに集まったのはほとんどがヨンへ側の家族です。彼女の両親と姉と弟、そしてその配偶者たちです。ヨンヘの父はヨンヘが肉を食べようとしないまま痩せ細っているのを見て激怒します。そしてあろうことか彼女の口に肉片を暴力的に押し込もうとします。

そのときの場面を、『菜食主義者』の二つ目の物語「蒙古斑」の主人公である姉の夫は「不条理劇の一場面のように信じられないものだった」と思い返します。

しかしそれより鮮明でぞっとする記憶は、その瞬間に吐き出された義妹の悲鳴だった。肉の塊を吐き出した後、果物ナイフをふりあげて、彼女は家族ひとりひとりの目をにらみつけた。まるで窮地に追い込まれた獣のように、彼女は不安定に目を白黒させた。

（105頁）

そしてヨンヘはその果物ナイフで手首を切りつけ、自殺を図るのです。肉食を断とうとしているヨンヘが「獣」のようになるとは皮肉です。しかし、ここで彼女がみずからの血を流すことで断ち切ろうとしているのは、「家族」というものをかたちづくる血という絆でもあるのかもしれません。自殺未遂のあと入院したヨンヘには、母親が彼女のために持ってきた栄養効果のあるクロヤギの肉からできた黒い液体を飲まされそうになるのですが、それを吐き出し、残りもすべてゴミ箱に捨てます。母は叫びます。「母さんと父さんの血と汗がにじんだお金で作ったものよ。それでも私の娘なの？」（77頁。傍点は引用者）。

❁ ❁ ❁

彼女のことを心から心配して同情していた姉インへとの絆もヨンへは破壊してしまいます。姉の夫はビデオアーティストです。彼は妻からヨンへの尻に蒙古斑《もうこはん》が消えずに残っているという話を聞いた瞬間、ヨンへに対して性的とも芸術的とも判別しがたい強い欲望を覚えます。「女性の臀部《でんぶ》から青い花が開く場面は、まさにその瞬間、衝撃のように思い浮かんだ。妻の妹の尻に蒙古斑が残っているという事実と、裸の男女が全身に花を描いて交わる場面が、不可解なほど正確で明確な因果関係をもってくくられ、彼の脳裏に刻まれた」（94〜95頁）。

　このイメージは彼の脳裏から離れません。そしてついに、彼女を異常者と見なして出て行った夫と別れてひとりで暮らすヨンへに作品のモデルとなるよう頼むのです。口数少なく（物語が進むにつれて、ヨンへはだんだん喋らなくなります）話を聞いていたヨンへは、花を体に描くというアイデアを聞いても反対しません。妻には内緒だという彼の言葉にも反応しません。

彼はアトリエでヨンへに裸になってもらい、ついに目にするのです――「若干痣《あざ》のようにも見える、淡い緑色の、明らかな蒙古斑だった。それは太古のもの、進化前のもの、あるいは光合成の跡のようなものを連想させ、意外にも性的な感じとは無関係に、むしろ植物的なもののように感じられた」（131頁）。彼はそこで彼女の背中に次々と赤紫の花の絵を描き始めます。そしてその様子をビデオカメラに収めるのです。

彼はそのときになってやっと、彼女がシーツの上にうつ伏せになったとき、彼に衝撃を与えた正体が何だったのかに気づいた。すべての欲望が排除された肉体、それが若い女性の美しい肉体だという矛盾、その矛盾からにじみ出る奇異なはかなさ、単なるはかなさではない、力のあるはかなさ。広い窓から砂のように砕けて降りそそぐ太陽の光と、目には見えないが、やはり砂のように絶えず崩れ落ちる肉体の美しさ……短い言葉では言い表せないそれらの感情が同時に押し寄せてきて、この一年間、執拗に彼を悩ませた性欲さえ和らげたのだ。（134〜135頁）

実に不思議な体です。ヨンへの体の前面に花の絵を描くときに、彼はヨンへの存在をこう感じます――「ある聖なるもの、人間とも言えない、だからといって獣でもない、植物であり動物であり人間、あるいはその中間くらいの見慣れぬ存在のように思われた」（138頁）。ヨンへの体は、たがいに陣地を奪い合おうとする天上的なものと地上的なもの、植物的なものと動物的なもののあいだに生まれた空白地帯のようです。欲望が排除されている肉体は、ある意味でまっさらな紙のようでもあり、空っぽの容器のようでもあります。だからこそ、そこには自由に繁茂する色鮮やかな花々が描かれ、同時にあらゆる欲望が注ぎ込まれなければならないのです。

アーティストである彼のもともとの目論見は、花を全身に描いた二人の男女を交接させ、その様子をビデオに収めた作品を作ることでした。彼ははじめ後輩のJに頼んで、その全身に花を描き、やはり全身に花を描かれたヨンへと性交させようとします。驚くべきことに、きわめて受動的だったヨンへのほうがむしろ積極的にJを誘います。こんなポルノのような作品には荷担できないとJは怒って途中で帰ってしまいますが、どうやらヨンへは、Jの全身に描かれた花に性的欲望をかき立てられていたことがわかります。そこで彼はみずからも全身に花を描くことで、ヨンへと交わり、その様子をビデオカメラで撮影します。そうして彼が思い描いていたとおりのビジュアル作品を作ることに成功するのです。

すべてが完璧だった。思い描いたとおりだった。彼女の蒙古斑の上に彼の赤い花が閉じては開く動作を繰り返し、彼の性器は巨大な花芯のように彼女の体の中を出入りした。彼は戦慄した。最も醜くて、同時に最も美しいイメージのぞっとする結びつきだった。目を閉じるたびに、彼は自分の下半身を染めて腹と股までを塗らすねばっこい草の青い汁を見た。

（184頁）

強烈なイメージです。受動的な存在であるはずの植物が能動的に動き、交接しているのです。ここでも二つの相反するものが共存しています。そしてヨンへという中間的な存在が、彼の性的かつ創造的な欲望によって満たされています。

彼の望みは叶います。ところが、疲れ果てた二人が眠っているところに、ヨンへの様子を心配した姉が、つまり彼の妻インへがやって来て撮影内容を見てしまうのです。仰天したインへは、妹と夫は性的倒錯者にして精神異常者だと救急車を呼びます。救急隊員は二人を拘束して精神病院に収監しようとするでしょう。

＊　＊　＊

『菜食主義者』を構成する三つ目の物語「木の花火」は、ヨンへの姉インへの視点から語られます。インへは精神病院に入院している妹の見舞いに行くところです。ヨンへは食べるのをいっさい拒絶するようになり、いまやほとんど餓死寸前です。インへには妹が狂気に陥ったのだとしか思えません。彼女は夫とは別居して、小さな息子と二人で暮らしています。しばらく精神病院に入れられた夫は退院後、家族の前から姿を消します。インへは高校を卒業後、化粧品会社を立ち上げて成功させますが、結婚生活は決して幸せなものではありません。

彼を愛しているという確信が彼女にはなかった。それを何となくわかっていながら、彼女は彼と結婚した。ひょっとして彼女には、自分をもっと上に引き上げてくれる何かが必要だったのではないだろうか。彼の仕事は経済的な役には立たなかったけれど、教育者と医師が多い彼の家の雰囲気が彼女は好きだった。彼の話し方、彼の好み、彼の味覚と夫婦生活に自分を合わせるため彼女は努力した。最初のうち、しばらくの間は、普通の夫婦のようにささいな言い合いもしたが、しばらくすると、あきらめられることはあきらめるようになった。しかしそれは本当に彼のためにしたことだったろうか。一緒に暮らした八年間、彼が彼女を挫折させた分、彼女も彼を挫折させたのではないだろうか。

（253〜254頁）

「菜食主義者」は、妻の変化に戸惑う夫、「蒙古斑」は、肉食をやめた義妹に性的あるいは創造的に惹きつけられる男という、ヨンへとは血のつながらない人間の視点から書かれていますが、この「木の花火」は、ヨンへの実の姉の視点から書かれているために、姉妹の幼いころの記憶が呼び起こされます。小さなころ姉妹は山で道に迷います。八歳だった妹のヨンへは、「このまま帰らないようにしよう」と言います。「それからかなりの時間が経ってから、彼女はそのときのヨンへの言葉を理解した。父の暴力はとりわけヨンへに向けられることが多かった」（251頁）。ヨンへはDVの被害者だったことが示唆され、読者はヨンへが病的なまでに肉食を断つに至った原因はそこにあったのかもしれないと推測させられます。そして姉のインへ自身にも、幼い子供を家に残して、自殺を図ろうと山に入っていた過去があったことが明かされるなど、インへもまた深い疲労と虚無感を抱えた存在であることがわかります。彼女は眠れない夜に、暗い森のビジョンを見ます。その森の無数の木々は「緑の大きな花火」のように目の前をちらつき、熱い波となって彼女を運び去ろうとするのです。

彼女にはわからない。いったいその波が何を意味しているのか。その明け方の狭い山道の終わりで彼女が見た、薄明の中でいっせいに青い炎のように立ち上がった木々は、また何を物語っていたのか。

それは決して温かい言葉ではなかった。慰安を与え彼女を奮いたたせる言葉でもなかった。むしろ冷酷な、恐ろしいほど冷たい生命の言葉だった。どこを見渡しても彼女は自分の命を受け入れてくれる木を探し出せなかった。いかなる木々も彼女を受け入れようとしなかった。まるで生きている巨大な獣たちのように、頑強でいかめしく踏ん張っているだけだった。

（270頁）


姉インへを熱い波となって包み込みながらも、同時に冷たく拒絶するこの暗い森の木は、木でありながら同時に獣たちのようでもあります。植物でありながら獣であるもの――これを僕たちは知っています。この木のうちの一本は、肉食どころかついに食べるのすらやめて、餓死寸前になった妹のヨンへであっても不思議ではありません。ヨンへは精神病院に入院させられてしばらくすると、奇妙な行動を取るようになります。廊下で逆立ちするのです。どうしてそんなことをするのかと問う姉に妹は答えます。

わたしは知らなかったの。木はまっすぐに立っているとばかり思ってたけど……やっとわかったの。みんな、両手で地面を支えていたのね。見て、あれを見て、驚いたでしょ？

ヨンへはぱっと立ち上がって窓を指さした。

みんな、みんなが逆立ちをしているの。

（235〜236頁）

ヨンへは逆立ちすることによって、木になろうとします。彼女のように人間の身体を木になぞらえるとき、いったい顔は木のどの部分にあたるのでしょうか。先ほどの言葉に続いて、木になる喜びを語るヨンへに耳を傾けましょう。

夢の中でね、お姉さん、わたしが逆立ちをしたら、わたしの体から葉っぱが出て、手から根が生えて……土の中に根を下ろしたの。果てしなく、果てしなく……股から花が咲こうとしたので脚を広げたら、ぱっと広げたら……。

（236頁）

そうなのです。体、手、股、脚に対応する部分はあります。しかし顔はどこにもありません。このとき、どうしてヨンへが木にならなければいけなかったかが理解されます。おそらくヨンへが肉食を断ったのは、夢に現われる顔から逃れるためだったのです。義兄であるアーティストにどうして肉を食べないのかと訊かれて、ヨンへは夢に出てくる顔のせいだと答えています。

「何の顔？　誰の顔なの？」

「……いつも違う。あるときはとてもなじみのある顔で、あるときは初めて見る見覚えのない顔なの。血だらけのときもあって……腐ってしまった死体の顔のようでもあるわ」
（187頁）

ヨンへを怯えさせていたのは、生者であると死者であるとを問わず、誰のものであってもおかしくない顔でした。肉さえ食べなければ、そんな顔は現われないと思っていた彼女ですが、その顔はほかでもない自分自身の腹の奥底からこみ上げてきたものなのです。なのにどうすればその顔から逃れられるでしょう。そもそも顔というものがない存在になれば……。

ヨンへの姉のインへが絶望的な気分のなかで見たビジョンに現われた暗い森のイメージは陰惨です。その森の木のうちの一本が妹なのだとしても、インへは彼女とわかり合うことはできません。実際、激しく吐血したヨンへをより大きな病院へ救急搬送する救急車のなかで、姉がいくら呼びかけても妹は苦しげな呻《うめ》き声をもらすだけです。「彼女の呼びかけに応えようとするのではなく、決して応えまいという抵抗のようにヨンへは顔をひねる」（290頁）。こうしてヨンへは顔を失い、血を失い、食物連鎖の鎖から解き放たれ、家族という重苦しい絆も断ち切って、絶対的に孤独な木になろうとしています。これは僕たち人間の根源的な孤独のことなのでしょうか。しかし、木の根が僕たちの手であるのなら、その手は地中深くに「果てしなく、果てしなく」伸ばされ、たがいを探し求めているのもまた事実だと思うのです。

『菜食主義者』きむ ふな訳、クオン

7 〝こんなふうにしても人は生きていける〟

J・M・クッツェー『マイケル・K』

前回のハン・ガンの『菜食主義者』は、ある日突然、肉食を断ち、水以外のいっさいの食物を拒絶して木になろうとした女性ヨンへの物語でした。彼女は何度か、意に反して無理矢理にものを食べさせられそうになります。姉のうちでの引っ越し祝いの席では、父親から強引に肉片を口に突っ込まれます。栄養失調で衰弱してベッドにほとんど寝たきりになっていたときには、両腕両脚を縛りつけられ、重湯を胃に直接流し込むため鼻にチューブを差し込まれます。彼女は激しくもがきます。医師がチューブを抜いたあと、重湯すら体が受けつけないのか、ヨンへはどっと血を吐き出します。

このヨンへと同じような境遇にあった男がいました。彼もまたあらゆる食物を摂取することを拒否します。栄養失調と疲労で意識を失い、医師のもとに運び込まれます。フェリシティという看護の女性が毛布でくるんだ、この四〇キロにも満たない小柄な老人マイケルズ――しかし本人は自分の名はマイケルだと主張します――に対して、医師は鼻からチューブを挿入し、糖分と牛乳を与えます。

マイケルズに意識がもどった。彼が最初にやったことは鼻からチューブを引き抜くことで、フェリシティが止めようとしたが間に合わなかった。いまはドアのそばに何枚も重ねた毛布の下で寝ているが、まるで死体のようだ。何も食べようとしない。小枝のような腕で栄養物の瓶を押しのける。「俺の食べ物じゃない」と言わんばかりに。

（226頁）

これはJ・M・クッツェーの『マイケル・K』の一節です。クッツェーは南アフリカ出身の作家です。ノーベル賞作家（二〇〇三年に受賞）としてご存知の方も多いでしょう。クッツェーはブッカー賞を二度受賞している数少ない作家のひとりですが、その一度目はこの『マイケル・K』という長篇に与えられました。

❁ ❁ ❁

僕は一度、クッツェーに会ったことがあります。二〇一四年にイギリスのノリッジで開催された「ワールズ」という文学会議に参加したことは、これまで何度か述べました。僕はそこで『ファミリー・ライフ』の著者アキール・シャルマと親しくなったのですが、そこにクッツェーも招待されていたのです。クッツェーが参加するということは前もって知らされていました。クッツェーに会えるのだから、機会があればサインをしてもらおうと持参したのが、原書の『マイケル・K』と『少年時代』でした。会議のあとの朗読会で、隣の席に座る機会がありました。そこでずっとカバンに入れてあったこの二冊を取り出し、サインをしてくださいとお願いしました。クッツェーは快く応じてくれました。「実は、ミスター・クッツェーの講演を聴いたことがあります。あなたが来日されて早稲田大学で講演されたときです。あれはたしか二〇〇六年でした……」と話しかけていると、「あ……」と、僕の手渡した本にペンを走らせていたクッツェーが小さな声を漏らしました。「きみの話を聞いてたら、二〇〇六年って書いてしまった……」。

そのときの文学会議の主題が「ノスタルジア」であったことはすでに話しました。『マイケル・K』もまた郷愁の物語と言ってもよいかもしれません。ただし郷愁に駆られるのは、主人公のマイケル・Kではなく、彼の母親です。

南アフリカのケープタウンに暮らすマイケル・Kは、三〇過ぎの独身の庭師です。口唇裂があり、あまり友人もいないようです。彼には長年家政婦として働いてきた母親がいます。病気に苦しむ母は死ぬ前に自分が幸福な少女時代を過ごしたプリンスアルバートという農場の多い地域に戻りたいと言います。しかし、この小説のなかの南アフリカは明らかに内戦状態です（この作品は、南アフリカで人種隔離政策アパルトヘイトが行なわれていた一九八三年に刊行されています）。夜間外出禁止令が出されるだけでなく、人々の移動も厳しく制限されています。通行許可証のないKと母親はケープタウンの外に出ることもできません。それでもKは母の願いを叶えたいと思います。「なぜ自分がこの世に生まれてきたかという難題にはすでに答えが出ていた。母親の面倒を見るために生まれてきたのだ」（13頁）。Kは手押し車を作り、それに母親を乗せると、母の故郷へ向かう旅に出発します。しかしその間に母の病気は悪化し、途中の病院で亡くなります。その遺灰を持って、Kはプリンスアルバートを目指します。彼はいまやホームレスですが、戦争のせいで国中に放浪者が溢れています。検問が至るところにあります。出身地を尋問されたKは答えます。「プリンスアルバートの家に帰るところです」（65頁）。

半分嘘ですが、半分は本当でしょう。もちろん、そこは彼の「家」ではありません。母の「家」なのです。途中で会った子供たち二人に手に持った遺灰の箱を見せます。

最初に少年が臭いを嗅ぎ、次に妹が嗅いだ。「それ、どうするの？」と少年がたずねた。「母さんを、ずっとむかし生まれたところに帰してやるんだ。そうしてくれって言わ

れていたから」　（78頁）

Ｋはプリンスアルバートにたどり着きます。しかし母が使用人の家族の一員として少女時代を過ごした農園は無人です。故郷や「家」を想起させる、つまりいかにも懐かしさをかき立てるような光景はどこにもありません。荒れ果てた農園とずっと閉め切られていた空き家があるだけです。とりあえずＫが目的地に着いたことは間違いありません。しかしここから彼の受難が始まります。これまで以上に疲労や飢え、そして迫害に苦しむことになるでしょう。

このＫは実に不思議な主人公です。口下手でほとんど喋りません。小説が後半に行けば行くほど、もちろん衰弱が進んでいくこともあるでしょうが、言葉は少なくなります。何を考えているのかよくわかりません。

とはいえ彼の少ない言葉とその行動からはっきりわかることがあります。彼に望みがあるとすれば、それは、誰からも邪魔されずにひとりで生きることなのです。彼が求めているのは最小限度の自由です。そしてその自由を獲得するために彼自身は実質的に誰の邪魔もしていません。しかし国家はあらゆる手段を使って彼の自由を奪います。その巨大な権力に対して彼にできるのは、国家の権力の及ぶ外に逃亡を試みるということだけです。国家の法の外を目指すという意味では、Kは「アウトロー」なわけです。僕たちは「アウトロー」という言葉に、どちらかというと能動的な「掟破り」のアンチヒーロー（ビリー・ザ・キッドとかロビン・フッドなど）を思い浮かべがちですが、Kは恣意的とも思えるような権力にさらされる、きわめて受動的な存在なのです。

❁ ❁ ❁

『マイケル・K』が刊行されたとき、多くの識者と読者に絶賛されたものの、十分に政治的ではないという趣旨の批判もあったそうです。たしかにKはただ「逃げる」だけの主人公です。南アフリカで展開されていた反アパルトヘイト運動の政治的な勇気と能動性を体現しているようには見えません。しかし個人の自由とは何かという普遍的な問いに貫かれているがゆえに、そして当時の南アフリカの具体的な政治的コンテクストを直接的に描いていないがゆえに、『マイケル・K』は時代を超えて、僕たちが生きる世界が直面する政治的な問題に呼応しているのも確かだと思うのです。

農場にその所有者の家族の一員が帰ってきたのをきっかけに、Kは山での生活を始めますが、飢えからついに町に下りることになります。そこで警察に尋問され、衰弱がひどいので一時的に治療を受けます。ある程度体力が回復し、解放されると思いきや、Kはジャッカルスドリフという土地にある収容所＝キャンプに入れられます。「黄土色のこの長方形は、山のなかの隠れ家からも見えていたが、Ｋは建設現場だとばかり思っていた。再定住キャンプだとは夢にも思わなかった。テントとペンキも塗っていない木と鉄のバラックに人が住んでいるとは、その周囲を三メートルのフェンスが囲い、フェンスの上には束にした有刺鉄線が張りめぐらされているとは思ってもみなかった」（114〜115頁）。

看守代わりの志願兵がＫに言います。「いまからここがお前の家《ホーム》だ。家《ホーム》はここだけだぞ。きれいに使え」（115頁）。皮肉な台詞です。見知らぬ者たちが共同生活を強いられる収容所ほど「家＝home」という語が喚起する温かさや親密さから遠いものはありません。

しかしＫはなぜ収容所に入れられなければならないのでしょうか。キャンプに暮らす男が教えてくれます。「キャンプのことお前、知らないのか？　キャンプってのは仕事のない人間のためのものだ。食い物がなくて、頭の上に屋根もなくて、農場から農場へ仕事を探して渡り歩く人間のためのものさ。やつらはそういう人間をいっしょくたにして、キャンプへぶちこむ。渡り歩かなくてすむようにな」（122頁）。

仕事を求めて、つまり生きるために移動しなくてはいけない人たちがいる。しかし国家はその移動の自由を認めず、治安上の理由から彼ら・彼女らを一ヶ所に収容する――この『マイケル・Ｋ』に描かれる収容所＝キャンプの描写を読めば読むほど、二〇一五年から続くヨーロッパの難民危機と呼ばれる事態を想起せずにはいられませんし、アメリカ合衆国を目指す中南米諸国出身者たちの「キャラバン」のことも念頭に浮かびます。あの難民や移民たちは母国の内戦や政情不安、貧困ゆえに旅立つことを余儀なくされた人たちです。クッツェーの想像力は、「家」を失い、新たな「家」を求めて移動する人たちの居場所が決して収容所＝キャンプになってはならないと、Kの行動を通して示唆しているかのようです。とにかくKはキャンプから出ていこうと看守にかけあいます。


「なあ、門を開けてくれないか？」とK。

「ここから出られるのは働きにいく連中といっしょのときだけだ」

「じゃあ、もしフェンスをよじ登ったら？　俺がフェンスをよじ登ったら、どうする？」

「フェンスをよじ登ったら、お前を撃つ。ためらったりはしない、絶対に。だからやめとけ」

（中略）

「キャンプにいたくない、それだけさ」とK。「フェンスをよじ登って出ていかせてくれよ。向こうを向いててくれ。俺がいなくなったって、だれも気がつかないさ。ここに何人いるかなんて、あんただってわかっちゃいないだろ」
「お前がフェンスをよじ登るなら、俺はお前を撃ち殺す、いいか。造作もないことさ。嘘じゃない」（133〜134頁）

国家の掟は最低限の自由さえ許さず、おそらく数として存在すらしていないKのような者の生殺与奪権を握っています。法の外側に一歩でも踏み出したとたん殺戮するのです。では小説には、この踏みにじられる個人の自由や尊厳を回復するために何ができるのでしょうか。虐げられる個々の人々に目を向け、その消え入りそうな声で語られる物語をより多くの人に届けること？　たしかに文学はそのような役割を果たしてきました。

しかし他者から物語を聞き出すことには、暴力的な側面もあるのです。たとえば、難民申請者たちは申請に際して聞き取り調査を受け、自分たちがどうして母国を離れなければならなかったのか説明しなければなりません。しかもほとんどの場合、迫害されていることを証明できるような証拠品などありません。みずからの言葉でどうして自分がここに来たのかを語るしかありません。しかし実に多くの人たちが似たような体験をしています。内戦や貧困などの故国の危機的状況。危険に満ちた陸路あるいは海路での旅。彼ら・彼女らは語りの専門家ではありませんし、また話に整合性があればあるほど、すでに僕たちがメディアの報道で幾度となく聞いてきたような物語の類型に収まってしまいます。どれひとつとして同じではない個々の体験が紋切り型として理解され、「嘘」と判断されてしまう。国家権力や多数派が、マージナルな立場にある者たちや自分たちにとって都合の悪い存在を不可視の領域に押し込むこと――収容所はそのような役割を果たす最たるものです――はむろん暴力的な行為ですが、保護するという大義名分のもとに、自由に語ることのできない人からも言葉を引き出そうとするのもまた暴力ではないでしょうか。

それがKに起こったことです。『マイケル・K』は三部構成です。一部と三部は、ほぼKを視点人物にした三人称で語られます。ところが二部では、Kが運び込まれたキャンプ内の軍医が語り手となります。この語り手はKに興味を惹かれます。ひどく衰弱しているのに（そのためにKは三二歳なのに老人のように見えるのです）、どうして与えられる食べ物や点滴を拒絶するのか。山中に暮らしていたときに自分で作っていた畑に固執して、そこに戻ろうとするのはなぜなのか。ゲリラの集結地点を維持するために山中で暮らしていた嫌疑をかけられているのに、どうして何も弁解しようとしないのか。わからないことだらけです。僕たちは理解を拒む不透明な存在に出会ったとき、どうしても納得できる物語を探すものです。軍医も同じように、Kの口から彼という人間についての真実を語らせようとします。「きみには語るべき話があり、われわれはそれを聞きたい。どこからでもいいから始めたらいい。母親のことでもいい。父親のことでもいい。きみの人生観でもいいさ」（217〜218頁）。しかしKからは沈黙が返ってくるだけです。もちろん軍医はKとゲリラとの関係について知りたいのですが、そのうち、Kという人間が何者なのか知りたいと思うようになっていきます。Kから言葉を引き出そうと何度も試みるのです。そのことは彼の発する「話せよ」（*Talk*）という言葉が何度も強調されている（原文ではイタリック体で、翻訳では傍点がつけられています）ことからも明らかです。

「自分に中身をあたえてみろ、なあ、さもないときみはだれにも知られずにこの世からずり落ちてしまうことになるぞ。戦争が終わり、差を出すために巨大な数の引き算が行われるとき、きみはその数表を構成する数字の一単位にすぎなくなってしまうぞ。ただの死者の一人になりたくないだろ？　生きていたいだろ？　だったら、話すんだ、自分の声を人に聞かせろ、きみの話を語れ！　われわれが聞いてやろうじゃないか！　こんなふうに親切に、文明人の紳士が二人して、必要とあらば昼も夜も、きみの話に耳を傾けようとしてるなんて、おまけにノートまでとろうとしてるなんて、いったいどこの世界にあるというんだ？」（218〜219頁）

人にはみずからの物語を語る権利もあれば、語らない権利もあるという当たり前の事実を思い起こしてもよいかもしれません。社会的な少数派や被抑圧者に出会ったとき、深い共感からその物語を聞き届けようとすることは政治的には正しいことかもしれません。しかし大切だからこそ語りたくない、語れないこともあります。なのに「話せ」と要求することは、そうした人々からその人自身の物語を剝奪することになりかねません。Kが要求された物語を語らず、与えられた食べ物を拒絶する（カボチャなど自分が食べたいものしか食べない）ことの意味は大きいと思います。それらはみな口に関わるものです。僕たちの口の主な機能は、語ることと食べることです。それをどう使うかの最小限の自由をKは絶対に譲り渡そうとしない。それは危険な行為でもあります。語らないこと、食べないことによって彼の生命はとことん危機にさらされるからです。Kの口唇裂は、もしかするとそのスティグマなのかもしれません。

初めは義務的にKと向かい合っていた軍医ですが、次第にKを、その存在の不可解さを受け入れていきます。そして「起きているときは土に這いつくばるようにして生き、やがて時が来ればみずから墓を掘り、黙って滑り込んで頭上に重い土を毛布のようにかけ、最後の笑みを浮かべて向きを変え、ついに故郷に帰り、はるか遠方のどこかで軋る歴史の歯車の音にもまったく気づくことなく眠りに落ちる生き物」（２５３頁）にしか思えないK

のような人々が体現する消極的ではあるけれど絶対的な自由に惹きつけられてもいます。「国家はマイケルズのような土を掘り返す者たちの背中に乗っているんだ。国家は彼らがあくせく働いて生産したものを貪り食い、そのお返しに彼らの背中に糞を垂れる。だが、国家がマイケルズに番号スタンプを押して丸飲みにしても、時間の無駄だ。マイケルズは国家の腹のなかを未消化のまま通過してしまった。学校や孤児院から出たときとおなじように、キャンプからも無傷で抜け出してしまったのだから」(253~254頁)。

＊＊＊

キャンプを抜け出してKはどこに行ったのでしょうか？　軍医はKのあとを追いかけて、自分もキャンプを出ていくことを夢想します。「私が人生で学んできたのは、キャンプから離れているのは難しいということだった。それでも、キャンプとキャンプのあいまには、キャンプにもどこにも属さない区域が、それぞれのキャンプ圏域以外の場所が必ずあるはずなんだ。(中略)だが、私は地図や道路に頼ろうとするほどばかじゃない。だからきみを、道案内に選んだんだ」(256頁)。ここではKと軍医の立場が逆転しています。想像のなかでとはいえ、Kが軍医を導いています。そして軍医はそこにいないKに向かって延々と語り続けるのです。「頼むからがまんして聞いてくれ。きみが私にとってどういう意味をもつのか、それを言いたいだけなんだ、それで終わりだから」（261頁）。疑念や思想を含めて、自分の「中身」を、「語るべき物語」を話しているのは、そうしたことをKに「話せ」と言った軍医のほうである点は見逃せません。軍医は続けます。

「さあ、話の最後はきみの庭、いや畑のことだ」ここで私は喘ぐ。「砂漠のまんなかで花をつけ、生命の糧《かて》を生み出す、神聖で魅惑的な畑《ガーデン》の意味を言わせてくれ。きみがたったいま目指している畑《ガーデン》はどこにもない場所、いや、キャンプ以外ならどこにでもある場所というべきだな。きみが属するたった一つの場所の別名なんだろ、マイケルズ、そこにいると、きみは自分が宿無しだと思わずに済むんだ。どんな地図にも載っていない、どんな道をたどってもただの道であるかぎり行き着けない、そこへ至る道はきみだけが知っているんだ」（262〜263頁）

「宿無し」（homeless）だと思わずにすむ場所、それはつまり「家」＝「故郷」（home）ではないでしょうか。軍医はKの「家」＝「故郷」は、キャンプとキャンプの「あいま」にあると考えていました。ここでも、Kの「畑」はどこにもないけれど、「キャンプ以外ならどこにでもある」と言っています。キャンプ、すなわち収容所は国家権力が人の移動を奪い、食事や労働に至るまで管理する場所です。その「あいま」にある自由な圏域。そこにKの「家」はあります。そこは文学というものの「故郷」でもあるのだと言ったら、笑われてしまうでしょうか。でも、一人ひとりが自分はそこに属していると実感でき、生命力に満たされる「畑」は、人の自由を奪う収容所のような場所以外にはどこにでもあるはずなのです。そこにはK以外には誰もたどり着けないし、Kだけがその道を知っている、と軍医は言います。しかし、そんなことはありません。僕は、あなたはどうやればそこに行けるか知っています。すでにKは僕たちを道案内してくれました。『マイケル・K』という小説を読むことで、彼がどのような道のりをたどっていたか――彼の人生とその時代――を間近から追いかけてきたからです。

キャンプを抜け出したKがたどり着いた先は、母の故郷であったあの農場ではありません。しかし彼は想像力によって農場に舞い戻るのです――その夢想のなかでも彼は手押し車を押して歩いています。あったはずのポンプが破壊されています。水がありません。何もない荒野でどうやって畑を作り、生きていけるのでしょうか。

マイケル・Kはポケットからティースプーンを、ティースプーンと長い糸巻きを取り出す。井戸の竪穴《シャフト》の端から砕石を取り除き、ティースプーンの柄を曲げてループを作り、そこに糸を結んでシャフト沿いに地中深くおろしていく。そして、それを引き上げるとスプーンのくぼみに水がある。こんなふうにしても人は生きていける、とマイケル・Kは言うのだろう。
（285頁）

小説の冒頭、Kの誕生が語られます。彼は母の乳首に吸いつくことができず、ひもじくて泣く赤ん坊でした。母はミルク瓶を試してみましたが、それでも吸えません。「ティースプーンで飲ませても咳込み、むせて泣くので苛々がつのった」（8頁）。その赤ん坊だったKがいま、かつて生まれたばかりの彼の命を維持するために母が苦心して使った道具であるティースプーンを頼りに、荒野で生きていこうとしている。ひとつの命がたしかにふたたび生まれ直そうとしています。

この場面はKによる想像の場面ですから、フィクションと言ってもよいでしょう。しかしそれを思い描くことが、Kに生きる力を与える。そしてその場面に立ち会い、Kの背中越しにスプーンのくぼみに光る水を見つめながら、僕たちもまたつぶやいています。そうだ、こんなふうにしても人は生きていける。

『マイケル・K』くぼたのぞみ訳、岩波文庫

8 信頼できる作家による信頼できない語り手

カズオ・イシグロ『浮世の画家』

カズオ・イシグロについて、とくに紹介はいらないでしょう。二〇一七年のノーベル文学賞受賞者です。

イシグロの受賞は嬉しいニュースでした。僕はイシグロ作品のファンですし、今回扱う、彼の二作目の長篇小説『浮世の画家』の日本語版の解説も書いています。大学院の学生だったころ、英語の長篇小説を読むという授業を受講していました。二週間で一冊読むという、当時の僕にはとてもきついものでした。毎回、担当学生がひとり決められ、その学生は担当箇所（つまり、ひとつの作品の半分ですね）について発表をしなければなりません。僕が担当することになったのが、イシグロの *The Remains of the Day* ——たぶん前半部分だったと思います——でした。

正直、当時この『日の名残り』を原書で読んだとき、きちんと理解できていたとは思いませんん。しかし、その直後にフランスに留学してから、イシグロ作品をちゃんと読むようになり、魅了されるようになりました。

とはいえ、イシグロを読み出したとき、とりわけ日本を舞台にした小説を読んだときには不思議な感じがしました。それはたぶん、Kazuo Ishiguro あるいはカズオ・イシグロという著者名が与える印象と無関係ではありません。僕の場合、初めてその名前に触れた時点では、もちろん、この人が日系のイギリス人で、英語で小説を書く作家であることは知っていましたが、ほとんど自動的に考えていました――この名前、漢字で表記するとどうなるのだろう？　日本語話者の多くは、人の名前が発話されるのを耳にすると、瞬時にその漢字表記を想像するのではないでしょうか。たとえば、「おの」と聞いて、多くの人は頭のなかで「小野」と漢字に変換しないでしょうか。地名についても同じことが言えます。日本語の名は、つねに漢字で裏打ちされているという意味で二重性を帯びています。「名は体を表わす」ではないですが、名は人や土地のアイデンティティを表わすいちばんわかりやすい指標です。日本を舞台にするイシグロの小説を英語で読むとき、それが日本とは少しずれた世界についての物語に感じられるのは、人名や地名が漢字で裏打ちされていないからだ――と言うと、こじつけに聞こえるかもしれません。だって日本語に翻訳すれば、アルファベット表記の名に漢字が与えられるじゃないか、と。

しかしこれに関して、彼の最初の長篇小説『遠い山なみの光』（小野寺健訳、ハヤカワe

p.i文庫）には、名というものがひとつの文化のなかで果たす役割というか機能について考えさせられる興味深い記述があります。この小説は戦後の長崎——彼の両親の故郷です——を舞台にしています。主人公の悦子は、第一子を妊娠しています。彼女と夫の二郎が暮らす家に夫の父親、つまり義父「緒方さん」がやって来る。悦子は男の子が生まれたら、この義理の父の名前をつけようと言います。


「どっちが欲しいかね、悦子さん。男？　女？」

「どっちでもいいんです。男だったら、お義父さまの名前をつけようかしら」

「ほんとうかい、約束できるかね？」

「考えてみると、どうかしら。お義父さまのお名前、何でしたっけ。誠二——しゃれた名前じゃないわね」

（中略）

「でも、息子にはお義父さまの名前をつけたいわ」

「そうなったらとても嬉しいがね」緒方さんはにこにこ笑って、かるく頭をさげた。

「しかし、身内から自分の名前をつけろとうるさく言われるのは、やりきれないものだよ。二郎の名前をつけたときには、家内と喧嘩になったものだ。わたしは自分のほうのおじの名前をつけたかったんだが、家内は身内の名前をつける習慣が嫌いでね。むろん、けっきょくは家内の言うとおりになったのさ。景子が相手じゃ勝負にならなかった」
（43〜44頁）

日本の読者が読むと、これは日本とは微妙に違う場所じゃないか、という印象を受けます。そもそも義理の父を「さん」づけの名字で呼ばないでしょう。彼の名前を悦子が知らないことにも驚きます。子供の名に親の名と「同じ漢字の一文字を入れる」ことはあっても、身内の誰かと同じ名前をつけることはまずないでしょう。

むろんイシグロはそんなことは知っていたかもしれません。しかし英語で書くかぎり、日本社会の「同じ漢字の一文字を子供の名に入れる」という慣習めいたものを書き入れようとすれば、どうしても説明調になってしまいますから、そうした不自然さを避けようとしたのかもしれません。ここには文化の翻訳の問題があります。いずれにしてもイシグロの描く日本のイメージは、日本語世界に生きる読者の持つ日本のイメージとぴったり重なり合うことはありません。

イシグロは、父親の仕事の都合で五歳でイギリスに渡ります。ノーベル文学賞受賞記念講演『特急二十世紀の夜と、いくつかの小さなブレークスルー』のなかで、日本との関係は、日本から送られてくる小包や両親や親戚の話を通してのみ培われてきたことを説明しています。「そんな生活の結果、何が起こったか。成長するにつれ、私の心の中に「日本」という名の特異な場所が作り上げられていったということです。虚構の世界を文章で書こうなどと思いつくずっと以前から、「日本」という、なぜか私の属する場所であり、私に自信とアイデンティティの感覚を与えてくれる場所が、精緻に作られつづけていました。実際の日本には1度も戻っていませんでしたが、それだけに、心に作られる日本はいっそう鮮明になり、私だけの国になっていったように思います」(35頁)。おそらくイシグロが一作目と二作目で試みたのは、自分のなかにある日本を小説として再構築して記憶に残すことだったのです。

最初の作品で実際に知らない日本を舞台にしたことについて、イシグロはこう回想します。「私自身にも、あれは驚きでした。いまの世なら、多文化的な背景をもつ若者が作家を目指すとき、作品の中で自分の「ルーツ」を探るのはいわば本能的な行為とすら言えます。しかし、当時の状況はまったく違っていました。イギリスで「多文化主義」の文学が勃興するのは、何年か先のことです」(15頁)。

しかしイシグロの文学的な強さはむしろ、みずからの多文化的なルーツに頼りすぎなかったことだと思うのです。多文化的な背景を持つ作家が書く作品においては、いきおい文化間あるいは言語間の摩擦や衝突、すれ違い、相互理解と不理解が重要なモチーフとなりがちです。それらの主題はもちろん書くに値するものでしょう。みずからのルーツを探ること。それはたとえば、移民としてやって来た両親や先祖たちの物語を掘り起こして語り直すことでしょうし、その物語は作家本人と重なる語り手や登場人物によって語られることでしょう。そのため、多文化的な背景を持つ書き手の小説はどうしても自伝的というか、虚構の装いをまとった〈自分の物語〉になりがちです。

イシグロはどうでしょうか。たしかにイシグロも一作目、二作目は、彼の故郷である日本を舞台にしました。しかし自伝的要素はとても薄いと言えます。しかも一作目の場所が、自身とつながりのある長崎であったのに対して、二作目の『浮世の画家』はどことも知れぬ日本の都市（東京でしょうか）です。登場人物にイシグロ本人と重なるような人物もいません。これが、三作目である『日の名残り』では、ついに舞台は一九五〇年代のイギリスとなり、やはりイシグロ自身を思わせるところなどまったくない執事が戦前を回想するのです。イシグロは多文化的なルーツを探るどころか、そこからどんどん遠ざかりながら、その作品世界を発展させてきました。

四作目の長篇『充たされざる者』では、ピアニストが中欧に位置するとおぼしき町をさまよいます。次の『わたしたちが孤児だったころ』は日中戦争下の上海を舞台にし、主人公・語り手はイギリス人の私立探偵となります。

『わたしを離さないで』の舞台はクローン技術などの先端医療革命後の世界であり、語り手はある意味で、ふつうの人間とは言えない存在です。さらに『クララとお日さま』では、語り手はなんとAIロボット（！）なのです。これまでのイシグロの長篇は『忘れられた巨人』を除けば、基本的に一人称で語られるわけですが、個人的には二一世紀文学の古典のひとつになるだろうと確信している『わたしを離さないで』のタイトルをもじって言えば、イシグロはいわば「わたしを離す」、つまり〈自分の物語〉の呪縛から自由になることで、次々と傑作や問題作を世に問うてきたと言えるでしょう。僕たちの誰もが閉じ込められている〈自我〉という檻からイシグロは抜け出して、自分とは限りなく遠いどんな人物の肌のうちにもやすやすと入り込み、その物語を語り始めるのです。

＊　＊　＊

イシグロは自分の多文化的なルーツを探ろうとはしていないとしても、イシグロ的な登場人物はつねにおのれの過去を回想し、自分とは何者なのかを問うているように見えます。そしてその人物たちは、多くの場合、厳しい時代を生きることを余儀なくされ、かつての自分の行ないを正当化しようとします。その語りがあらわにするのは現実を直視することの困難さです。イシグロの主人公たちは真実から意識的あるいは無意識的に目をそむけ、自分の見たいものだけを見ようとします。当然、自分に都合のよいことばかりを語るその言葉を聞いているうちに、この人は本当のことを言っていないのではないか、何かが隠されているのではないか、と読者は語り手の言葉に疑念を抱くようになっていくのです。

その典型的な例を見てみましょう。『浮世の画家』の語り手は画家の小野益次です。彼は戦前は非常に高名な画家だったようですが、いまは絵を描くことをやめています。目下の彼の悩みは、二六歳になる次女紀子の結婚のことです。一度はうまく行きかけた縁談が破談になったからです。その原因には彼の過去が関係しているようです。いま斎藤家という良家との新たな縁談の話が進みつつあります。長女の節子がやって来て、父親にことを慎重に進めるよう念押しします。

「言いたかったのはただ」と節子はことばをついだ。「いったん話が本格的に進みはじめたら、お父さまは慎重な手順を踏んだほうがいいんじゃないかと、それだけのことなの」

「慎重な手順？　もちろんこちらは慎重に事を運ぶつもりだ。しかし、具体的にどういうことを考えているんだね」

「ごめんなさい。特に調査のことを言いたかったの」

「もちろん、必要な限り徹底的にするつもりだ。去年と同じ人に頼むことになるだろう。覚えてるだろうが、とても信頼の置ける調査員だから」

節子は一本の花の茎を注意深く生け直した。「ごめんなさい。言い方があいまいだったわ。わたしが言ってるのは、実は相手側の調査なの」

「すまないが、どうも話についていけない。うちに隠しごとなどなんにもないと思うが」（73頁）

しかし小説を読み進めていくと、実際は「隠しごと」があったことがじわじわと明らかになっていきます。小野はどうも戦意高揚画を描くなど画家として戦争に協力し、それゆえに戦後は画壇から追放されているようなのです。一方、小野の弟子であった黒田は戦後は大学に職を得て、高い評価を得ています。その事実に小野はさりげなく言及します。「黒田は終戦に伴う釈放のあと、悪くない暮らしをしていたらしい。何年もの獄中生活が黒田にとって大きな名誉になった」（162頁）。娘の縁談のために黒田の助力を得ようと彼のもとを訪れた小野は、そこで黒田の弟子の円地という青年に出会います。はじめは友好的だった青年の態度は、小野が名前を告げたとたんにぎこちなく変化します。黒田の帰宅を待とうとする小野に青年が言い放ちます。「率直に言って、あなたの図太さにはあきれました。まるで先生の親しい話相手みたいな顔をしてここに来るなんて」（169頁）。

小野は彼のかつての弟子であった、そして円地の先生である黒田にいったい何をしたのでしょうか。小野自身がはっきりと語るわけではありませんが、小野の戦争協力が絵を描くことだけに限られていなかったことが浮き彫りになる場面があります。

小野がかつての師匠であるモリさん（森山）との訣別を回想する場面です。小野の画風の変化に望ましくないものを感じ取ったモリさんは、小野の絵を取り上げて隠します。そして、その作品に顕著な新しいスタイルを捨てるか、自分のもとを去るか、どちらか選ぶように迫ります。そのときの師匠の態度に対して小野はこう言います——「考えてみると、ある画家が特定の弟子のために多大の時間と財産とを投じ、そのうえ、公《おおやけ》の場でその弟子の名を自分の名前と並べて出すことを許してやった場合には、その弟子の離反に際して、一時的にバランス感覚を失い、あとで悔やむような言動に出たとしても、それは——全面的には許せないとしても——理解できることだろう。そして、問題の作品を取り上げたモリさんのやり口はたしかに卑劣に見えるだろうが、絵の具をはじめ画材のほとんどを自費で買い与えてやった教師が、そういう機会に、弟子にも自己の作品に対する権利があるという事実を一瞬忘れたとしても、無理からぬことだと思う」（268〜269頁）。一見、小野は師匠に対する恨みつらみを忘れ、その言動に対して理解を示しているように見えます。しかしこの直後に思い出される別の過去の一場面を読むとき、この寛大さは、本当は彼の師匠であったモリさんに向けられたものではなく、黒田の師匠であった自分自身に向けられたものではないのかと読者は勘ぐらずにはいられなくなります。「それは開戦前年の冬のことで、わたしは不安を抱きながら黒田の家の前に立っていた――中町で彼が借りていたみすぼらしい小さな家の前に」と小野は回想します。家からは煙の匂いがし、女のすすり泣きも聞こえてきます。門をくぐると玄関前には制服警官の姿があります。その警官から黒田が取り調べのために警察署に連行されたことを知らされます。

「しかし、なんでまた。黒田君がなにか罪でも犯したのですか」

「だれだって、あんなのは迷惑なやつだと思うさ。おまえもさっさと帰らんと、取り調べのために拘留するぞ」

家のなかでは女が――おそらく黒田の母親が――さっきからすすり泣きをつづけていた。その女にだれかがどなりつけている声も聞こえた。

「責任者はどこにおられます」とわたしはたずねた。

「帰んなさい。それとも逮捕されたいのか」

「この際」とわたしは言った。「いちおう申し上げておきたいが、わたしは小野と申す者です」警官はその名前に心当たりがない様子だったので、わたしはいささか自信を失いながら言った。「あなたがたがここに来られたのは、ほかでもなくこのわたしが提供した情報のせいです。わたしは小野益次。画家でして、内務省文化審議会の一員です。それに、非国民活動統制委員会の顧問にも任命されている。この件ではなにか誤解があったと思うので、どなたか責任者の方とお話をさせていただきたい」

（270頁）

要するに、黒田を「密告」したのは小野だったのです。さらにモリさんが小野の作品を取り上げた行為を反復するように、小野も弟子の作品を——直接手は下さないにせよ——奪ったことが明らかになります。家から流れていた煙の匂いの正体は何だったのでしょうか。制服警官が棒きれで突いているたき火の山に小野は目を留めます。

「その絵を燃やせという命令でもあったのですか」とわたしは質問した。
「証拠として役に立たぬいかがわしいものは、すべて破壊ないし焼却するというのがわれわれの方針です。代表的な作品一点はぬかりなく選んでおきました。残りの屑を燃やしているところです」

「こんなことになろうとは想像もつかなかった」とわたしは言った。「わたしはただ委員会に、だれかを派遣して注意をしてもらったら、黒田本人のためになるだろうと助言しただけなのに」わたしは庭のなかでくすぶっている灰の山をふたたび見つめた。「焼き捨てる必要など、まるでなかった。そのなかには優秀な作品もたくさんあったのです」

（272頁）

過去の責任とか過ちということについて小野は時おり言及するのですが、それがどのような過ちなのか決して具体的に語ることはありません。しかし、この引用にも明らかなように、言葉にしなくても、ちょうど煙の匂いから火が燃えていることがわかるように、彼の罪がどのようなものなのか漠然と、しかし疑いようもなく読者には伝わってきます。

小野は自分がよくないことだと非難したモリさんの言動と重なる言動を黒田に対して取るのですが、黒田の身に起きてしまったことと小野自身の身に起きたことはまったく正反対です（モリさんとの訣別後、小野は画壇の寵児となりますが、黒田は投獄され、後遺症の残る拷問を受けるのです）。しかしモリさんに対して一定の理解を示すことで、自分自身のふるまいを免罪しようとしています。「ずっとあとでさえ、旧師のいくつかの特徴は、かつての影響力の影のような形で残り、生涯その人に焼きついてしまう」（201頁）といった具合に、小野は自分へのモリさんの影響にたびたび言及します。自分に過誤があれば、それはモリさんのせいだと言わんばかりです。小野はこうも言います。

過去の責任をとることは必ずしも容易なことではないが、人生行路のあちこちで犯した自分の過ちを堂々と直視すれば、確実に満足感が得られ、自尊心が高まるはずだ。とにかく、強固な信念のゆえに犯してしまった過ちなら、そう深く恥じ入るにも及ぶまい。（187頁）

この言葉からは過去に対する反省はまったく伝わってきません。過ちを認めれば、それで済むとでも言いたげです。実際、小野は黒田に謝罪することもないでしょう。黒田の弟子が示す敵意に対して、「世の中のたいていのことは、見かけより複雑なんだよ」（168頁）と言って誤魔化そうとするだけです。しかも、「強固な信念のゆえに犯してしまった過ち」なら仕方がないと言いたげです。信念の善悪よりも、その強さを重視しているようにも見えます。この小野の最後の言葉にそらぞらしい響きを感じるのは僕だけでしょうか。そして小野の「強固な信念」なるものが、戦前の「日本に出現しつつある」と彼が感じ取っていた「より純粋な、より男らしい新精神」に奉仕しようとするものであったことは忘れてはならないと思います。

イシグロの手法を語るとき、よく「信頼できない語り手」(小野益次はまさにそうですね)という言葉が使われます。しかし強調しなければなりませんが、そのような語り手を作り出すイシグロほど信頼できる作家はいません。

多くの書き手は人物の思考に自分の思想や意見を投影させる傾向があります。自伝的小説でなくとも、小説のなかには多かれ少なかれ書き手自身を思わせる人物が現われるものです。ところが、イシグロはおそらく自分とはまったく異なる考え方を持つ人物になることができます。これは驚異的です。語ることで真理を隠蔽しようとするような喋り方をえんえんと続けるわけですから。そもそも自分と感じ方や考え方が異なる人になりきって、この状況だったら、こう言うだろうと考えながら、ずっと喋り続けることができますか?

イシグロは「書き手」の自我を簡単に脱ぎ捨てて他者の声に身を委ねます。彼はそれをいとも簡単にやっているように見えます。しかしそれはたやすいことではありません。自我を脱ぎ捨てるとはおのれを失うことでもあります。だからこそイシグロの語り手たちはみな、まるで作者が彼ら・彼女らの生と一体化するために経験したかもしれない喪失を肩代わりするかのように、みずからの記憶に曖昧さを抱え込み、〈いまとここ〉という足場がじわじわ侵食されていくような不確実さを耐えなければならないのかもしれません。

＊＊＊

ノーベル賞講演においてイシグロは、日本で講演した際に会場からの質問に答えて、次のようなことを述べたと語っています。「これまで、忘れることと記憶することの間で葛藤する個人を書いてきたが、これからは、国家や共同体がこの問題にどう向き合うかをテーマに書いていきたい、と」（67頁）。

でも僕は言いたいのです。イシグロさん、「これから」どころか、あなたはずっとその問題を扱ってきたじゃないですか、と。なぜなら、『浮世の画家』でも、『日の名残り』でも、個人の記憶と忘却の問題がつねに、国家や共同体がみずからの不都合な過去をどのように記憶し忘却するかという問題と無関係ではなかったからです（『日の名残り』の語り手である執事のスティーブンスは、かつての主人ダーリントン伯爵の親ナチス的な態度に見て見ぬふりをします）。

イシグロを読んでいると、あるひとつの問いを投げかけられているような気がします。それは、かりに作品からは語り手＝主人公の声しか聞こえず、イシグロ自身の声は聞こえないとしても、イシグロ自身がずっとみずからに問いかけてきた問いなのでしょう。それはまた、人生の苦境にあるとき、僕たちの誰もがみずからに投げかける問いでもあります。「自分とは何者なのか」。イシグロは、多文化的な背景を持とうが持つまいが人間であれば誰もが行き当たる普遍的な問いを小説という手段で考えてきたと言えるでしょう。

たしかに『忘れられた巨人』では、個人的な記憶の問題が国家や共同体の記憶＝歴史の不確かさ、いかがわしさにまで射程を延ばしています。「自分とは何者なのか」という問いが、「わたしたちとは何者なのか」という問いと分かちがたく結びついていることがより明確になっています。

この二つ目の問いは、グローバル化が進展した現在、僕たちにとって喫緊《きっきん》の問いとなっています。国境や文化や言語を超えた移動が容易になったにもかかわらず、世界のどこを見ても、自分とはちがう者との出会いをみずからが変わるチャンスと見なすどころか、自国の歴史や文化の砦に閉じこもり、他者を否定・排除する独善的な傾向が強まっています。「自分とは何者なのか」「わたしたちとは何者なのか」。これらの問いを、人類のおそらくもっとも古く普遍的な営みのひとつである〈物語を語る〉という行為のうちに問い続けてきたカズオ・イシグロの作品は、だから、いまこそ読まれなくてはなりません。

『浮世の画家』飛田茂雄訳、ハヤカワepi文庫

9 文学は獣も人も自由にする

多和田葉子『雪の練習生』

二〇一七年二月にJapan Nowという日本の文化を紹介する大きなイベントがイギリス各地で開催されました。日本から招かれた作家のひとりとして僕も参加しましたが、そこで多和田葉子に会いました。ちょうど彼女は、ドイツ政府から派遣されてオックスフォードに滞在しているということで、Japan Nowのロンドンでのイベントに合流したのでした。大英図書館に付属するホールで開催されたイベントで、彼女は英語で自作について語りました。休憩時間――そういえば多和田葉子には『球形時間』という作品があります――に、言葉を交わしたイギリス人聴衆が、「彼女の英語はドイツ語の訛《なま》りがあってチャーミングだ」と言っていたのが印象的でした。そのトークのなかで彼女は英訳が出たばかりのホッキョクグマの物語について語っていました。

その数ヶ月前、僕はフランスのアルルにいました。アルルには国際文芸翻訳センターがあります。世界中からやって来た翻訳者たちが一定の期間滞在して自身の仕事をするレジデンス制度を実施すると同時に、地域住民に開放した作家の朗読会をやっています。僕は若手翻訳者のためのワークショップ・プログラムの講師として参加したのですが、到着してすぐに、この翻訳センターで多和田葉子の朗読会が行なわれたばかりであることを知りました。彼女の翻訳者がフランス語で、多和田葉子は原語であるドイツ語で朗読し、素晴らしいパフォーマンスであったと、女性スタッフが目を細めて嬉しそうに語っていました。何を読んだのですか、と尋ねると、ホッキョクグマの話でした、と彼女は教えてくれました。そうです、朗読されたのは、日本では『雪の練習生』として読まれている作品でした。

それにしても多和田葉子はどこの国の作家なのでしょうか。彼女が日独両方の言語で執筆する作家であることはよく知られています。そして両国において高く評価されています。先に扱ったクッツェーの『マイケル・K』の着想の源になったのは、ドイツのロマン主義の作家クライストの『ミヒャエル・コールハース』なのですが、このクライストの名前を冠した文学賞を多和田葉子は受賞しています。日本の近代文学史を考えたときに、このように二つの言語のあいだを行き来しながら書く作家はいなかったと思うのです。その意味でも多和田葉子はとても例外的な存在です。

多和田葉子は非常に多産な作家ですが、数ある作品のなかでも『雪の練習生』は代表作のひとつと言っても過言ではないでしょう。

＊＊＊

『雪の練習生』という謎めいた日本語のタイトルからは想像するのが難しいのですが、これがホッキョクグマの物語であることは、英訳のタイトルでは明示されています。ずばり、*Memoirs of a Polar Bear* となっています。つまり「ホッキョクグマの回顧録」。ちなみに、フランス語訳と同様にこれもドイツ語からの翻訳です。そのフランス語訳のタイトルは、*Histoire de Knut* で、「クヌートの物語」となります。フランス語版の紹介を見ると、この小説が実在のホッキョクグマの話に着想を得ていることが明記されています。クヌートは二〇〇六年生まれのホッキョクグマで、二〇一一年に亡くなるまでベルリン動物園の人気者でした。生まれてすぐに、東ドイツのサーカスで曲芸をしていた母熊に育児放棄されて、飼育員たちによって育てられたのです。

『雪の練習生』は、このクヌートに至る三代のホッキョクグマの物語です。三つの中篇から構成されており、三つ目の中篇「北極を想う日」の語り手がクヌートです。一篇目は「祖母の退化論」とあるように、クヌートの「祖母」にあたるホッキョクグマが語り手となり、二篇目の「死の接吻」はクヌートの母であるトスカの物語です。

『雪の練習生』はあらゆる境界を曖昧にし、乗り越えていく物語だと言ってもよいかもしれません。まず人間と動物の境界が曖昧です。なにせこの小説では語るのはホッキョクグマなのです——いや、実は語り手が本当に（？）ホッキョクグマかどうかはわかりません。物語は、「真っ裸でも、つるつるしていたわけではなくて、ふさふさしていた」、「毛の生えた赤ん坊」である語り手の「わたし」が二本脚で立ち上がることを覚えたことを回想する場面から始まります。

しかしその直後に、こういう文章が読めます——

ものを書くというのは不気味なもので、こうして自分が書いた文章をじっと睨《にら》んでいると、頭の中がぐらぐらして、自分がどこにいるのか分からなくなってくる。わたしは、たった今自分で書き始めた物語の中に入ってしまって、もう「今ここ」にはいなくなっている。眼を上げてぼんやり窓の外を見ているうちに、やっと「今ここ」に戻ってくる。でも「今ここ」って一体どこだろう。（11頁）

僕などは人間中心主義的な考え方にかぶれているのか、小説を読み出すと、つい語り手は人間なのだろうと思い込みがちです。だから、この「わたし」も実は人間で、それこそ自分の書こうとしているホッキョクグマの物語に入り込んでいるということなのか、と想像したりするわけです。
しかし小説の記述を読んでいると、やっぱりこの「わたし」は人間ではなさそうです。「わたし」は、かつてはソ連のサーカスで芸をしていたのですが、いまは作家になって自伝を書いています。彼女に自伝を書くように勧めたのは、アパートの管理人のおばさんです。そして「わたし」が書いた原稿を持っていくのは、かつて「わたし」がサーカスの花形だった時代に彼女のファンであり、文芸誌の編集長をしているオットセイ（！）なのです。オットセイは彼女の原稿を発表し、それはドイツ語に翻訳され、「西側諸国」で成功を収めます。しかし、そのために「わたし」はソ連当局に目をつけられ、西ドイツに亡命することを余儀なくされます。東ベルリンから西ベルリン行きの電車に乗った「わたし」は、女性に話しかけられます。

めがねをかけた二十代の女性が一人近づいてきて何か訊《き》いた。「言葉がわからない」と答えると、下手ながらロシア語で、「ロシア人か」と訊く。わたしはもちろんロシア人ではないけれど、どう答えていいのか分からなくてまごついていると、「ああ、少数民族ね。わたしは少数民族の人権について高校生の時にレポートを書いて生まれて初めて満点をもらったんです。今でも忘れられません。少数民族万歳」と言って、わたしの隣にすわった。頭の中が混乱してきた。わたしたちの一族は、少数民族なんだろうか。確かにロシア人と比べると数が少ないような気がする。でもそれは都心部での話であって、北の方へ行けば、わたしたちの方がロシア人よりずっと数が多い。

（52〜53頁）

この「二十代の女性」の目には彼女はどのように映っているのでしょうか。「少数民族」「人権」というからには人間？　でもところどころで提示される「わたし」の身体的特徴は、やっぱり人間っぽくありません。大勢の人の前で三輪車に乗ったり玉乗りをして拍手喝采を浴び、そのたびにイワンという彼女の世話をする男から「角砂糖」をもらっていたという記述があります。その一方で、「わたし」はしょっちゅう机につき、万年筆を握って文章を書いてもいるので、僕などはつい人間の姿を思い浮かべてしまいます。亡命後、「わたし」はドイツ語を読めるようになりたいと本屋に行きます。そこで手に入れた教科書の応用編でカフカの短篇（「歌姫ヨゼフィーネ、あるいは鼠族」）を読み、感想を書店員に語ります。すると書店員はカフカの別の本を薦めてきます。

「これは同じ作者の書いた作品です。彼は動物の視点からいろいろな短編小説を書いたんです」と言ってから、わたしと目が遭うとあわてて「もちろんマイノリティの立場から書いたから価値があるということではなくて、文学作品として優れているということです。動物が主人公であるというよりは、動物がそうでないものになったり、人間がそうでないものになったりしていく過程で消えていく記憶そのものが主人公なんです」というような難しいことをごちゃごちゃ付け加えた。（66頁）

この部分を読むと、語り手の「わたし」は、人間であっても、そうでないものであってもよいような気がしてきます。この部分は、『雪の練習生』という作品の特徴を考える上で、そして多和田葉子という作家の素晴らしい創造性を考える上で、とても示唆的です。

驚くべきことに、この「祖母の退化論」では、「ホッキョクグマ」という単語が、たぶんたった四回しか使われていません。「わたし」はベルリンでウォッカをラッパ飲みしようとすると、瓶が鼻にくっついて離れなくなる。そのとき向こうから「ホッキョクグマ」が近づいてくるのが見える。「ホッキョクグマは悔しそうな顔をしている。よく見るとそれはわたしの叔父である」（88頁）。しかもこの場面は、「わたし」が見た「夢」なのです。だから、小説の文章を読みながら読者は、語り手の「わたし」をホッキョクグマととってもよいし、人間ととることもできるのです。いや正確に言うと、この「わたし」を、人間ではないかもしれないものとホッキョクグマではないかもしれないものとの「あいだ」にあるものとして、つまり「動物がそうでないものになったり、人間がそうでないものになったりしていく過程で消えていく記憶そのもの」と理解してもまったく構わないのです。「わたし」は、そのようなものとして自己を提示しています。「過程」というものは連続性であって、何かと何かを区切るはっきりとした境界線ではありません。むしろそのような境界を乗り越えるものとして、「わたし」はあります。

じじつ、「わたし」の生涯（人生とは言わないようにしましょう）は国境を越える移動の連続です。西ドイツのあとは、カナダに渡り、そこでデンマークから亡命してきた男性と結婚して、子供（トスカと名づけられます）を産むと、家族で東ドイツに亡命することになるのですから。

＊＊＊

多和田葉子の境界線を曖昧にしていく書きぶりは、その魅力を二篇目の「死の接吻」でも発揮しています。この中篇では「祖母の退化論」と打って変わり、のっけから「ホッキョクグマ」という単語が現われます。これもまた一人称の物語なのですが、語り手の「わたし」は明らかに人間の女性です。この冒頭部分で、彼女はサーカスの演目として舌に角砂糖を載せて唇を差し出し、それをホッキョクグマで「身長が三メートルあるトスカ」が舌を使って器用に奪い取るという曲芸を行なっています。

「死の接吻」は、第二次世界大戦前に生まれ、戦後は東ドイツ市民として暮らし、東西ドイツの統合を経験するウルズラという女性の物語です。

ウルズラは父親を知らず、母親と暮らしていますが、なぜかサーカスに心を奪われ、ついにサーカスの猛獣使いになります。そこでホッキョクグマのトスカとともに考え出したのが、「死の接吻」と呼ばれることになる角砂糖を口移しする芸なのです。ウルズラには動物と心を通わせる才能があります。「わたしにはトスカの考えていることが雪の日に真っ白な画用紙に濃い鉛筆で書いた字のようにはっきり読める」(133頁)と彼女は言います。夢のなかではトスカと会話することもできます。そこに彼女がなぜ書くのかの動機が示されています。

「母は自伝を書いたの。」「すごいわね。」「四苦八苦して試行錯誤して七転び八起きして諦めないで書き続けたの。」トスカの声はいつも氷のように澄み渡っている。「でもわたしには何も書くことができない。」「どうして?」「わたしはその伝記の登場人物だもの。」「それならわたしが書いてあげる。あなただけの物語を書いて、お母様の自伝の外に出してあげる。」
夢の中でトスカに大変な約束をしてしまい、四時に目がさめた。これまで手紙くらいしか書いたことのないわたしにどうしてトスカの伝記が書けるだろう。

（140〜141頁）

これはウルズラが書いたトスカの物語なのだ——そう思って読んでいると最後に驚くようなことが起こります。何の予告もなく、「わたし」の中身が入れ替わってしまうのです。

わたしとウルズラはパンコフにもマンフレッドにも内緒で筋書きにはないシーンを一つだけ最後に見せることに決めていた。そしてそれを何度も二人だけで夢の中で練習した。ただ、わたしはその夢を見ているのが自分だけなのか、それともウルズラも同じ夢を見ているのか、確信が持てないので不安だった。もしもその夢がわたしだけの見ていた夢だったらどうしよう。そう思うと、舌に浮かぶ甘い味の予感は消えて、ひどく緊張してきた。

（198頁）

僕たちは「わたし」＝ウルズラと思って読んでいたのに、いつの間にか「わたし」＝トスカになっている。それこそ「筋書きにはないシーン」を見せられたかのようです。そして読者は、それまでずっと読んできたのが、トスカの口から語られたウルズラの物語だということを知ります。

東西ドイツの統一後、サーカスは解体され、ウルズラは五〇年近く働いたサーカスを追い出され、トスカはベルリン動物園に売られることになります。トスカとなった「わたし」が言います。「ウルズラの晩年の言葉を聞き取って書き留めるという役目を義務教育さえ受けていないわたしが果たすことができたのは、接吻によって流れ込んできた魂のおかげである」(２０５頁)。死の接吻によって、口移しさせられた白い角砂糖が溶けるように、ウルズラとトスカの個々のアイデンティティが溶解し、混じり合ったかのようです。

実は、この小説のなかで溶解するのはホッキョクグマとか人間といった種のアイデンティティだけではありません。トスカは次のように告白します。

動物園でラルスと恋仲になりクヌートきょうだいを出産した時期でさえ、わたしはウルズラの伝記を書く筆を休めなかった。わたしは猫ではないので、もともと子供を猫可愛《かわい》がりする親の気持ちは分からない。クヌートの弟は虚弱体質で生まれてすぐに死んでしまったが、クヌートには狼《おおかみ》に育てられてローマ帝国を建国した双子のような

大物になってほしかったので、あえて別の動物のところに里子に出した。(205頁)

この「別の動物」は人間でしょう。三つ目の物語「北極を想う日」は、動物園で飼育員たち——マティアスとクリスティアン——によって育てられた「クヌート」の視点で語られることになるからです。そしてクヌートの物語が明らかにするのは、母性愛や家族というものの輪廓の曖昧さです。ウルズラはトスカの育児放棄についてこう言います。「動物が子供を育てるのは本能ではなくアートである。アートだから、育てるのは我が子でなくてもいい」(118頁)。成長し、飼育係と離れてひとりで生活するようになったクヌートの感慨もまた、「母性」が必ずしも母に、女性に自然に備わっているものではないことを示しています。

トスカがどうしてミルクをくれなかったのかと考えたことはこれまで一度もなかった。きっと彼女なりに何か深い考えがあったのだろう。親の考えていることは子供には分からないから考えても仕方がない。これが自然の哲理である。わたしはむしろ、どうして哺乳類は生まれてすぐにミルクがなければ死んでしまうようにできているのか、それを不思議に思った。鳥の赤ん坊ならば、たとえ母親が家出してしまっても、父親が運んでくるミミズを食べればいい。ところが哺乳類はその名の通り、生まれてすぐはミルクからしか栄養が取れないようにできている。だから鳥のようにいつも前向きに考えることができなくて、つい乳くさい昔を振り返ってしまう。（２９０頁）

子にとって親もまた他者であることに変わりはありません。家族だからといって、親だからといって、子である自分を無条件に保護し、慈しんでくれるわけではない――ここには、人であれ動物であれ、生命というものが持つ絶対的な孤独が、そしてそれゆえの絶対的な自由が表明されているのかもしれません。

たしかに『雪の練習生』を読んでいると、動物と人間を区切る境界がほどかれ、家族や母性といった、ときに人を縛りつける桎梏《しっこく》となるものから解き放たれるような感覚がもたらされます。けれど自由の代償は必ずしも孤独というわけではなさそうです。

マティアスはミルクをくれただけではない。寒くないか、暑くないか、頭をぶつけて怪我をしないかと一時も気を休めず、泊まりがけでわたしの世話をしてくれた。離乳してからも毎日何度も面倒な食事を作ってくれた。

マティアスは絶対にわたしを見捨てないという気持ちを与えてくれた。盥《たらい》に水を入れて、身体を洗ってくれた。それからタオルで乾かしてくれた。食事を作って辛抱強く食べ終わるのを待っていてくれた。わたしが食べ散らかした床をいつも掃除してくれた。いっしょにテレビの前にすわって、画面に出てくる人たちのことを説明してくれた。自分から水に飛び込んで、泳ぎを教えてくれた。声を出して新聞を読みきかせてくれた。そしてある日、何も言わずに姿を消してしまった。（291〜292頁）

この短い一節には、人が――ここは敢えて「人」と言います――生きる過程そのものが見事に要約されています。子のために食事を作り、その健康状態にたえず心を配ること。それを母性と呼んでもよいのですが、それは決して女性や、母にのみ結びつけられた――あるいは女性や母を縛りつける――属性などではまったくないのです。なぜなら、ここではそうした行為は男性であるマティアスによってなされているのですから。そして子が言葉を教えられ、それを習い覚え、ともにテレビを見ながら、新聞を読みながら、社会とは何かについて少しずつ知っていく場所が、家族と呼べる場なのだとしたら、その場を作るのは血のつながりでなくてもまったく構わないのです。そこは、相手のことを優しく気遣い、相手の言葉に耳を傾け、心をこめて相手に語りかける者たちが共有する場なのです。その場に自由の空気が満ちているのは、マティアスとクヌートという二つの生命がゆるやかな信頼の絆でつながっている様子がたしかに伝わってくるからでしょう。

もちろんいつか別れがやって来ます。「何も言わずに」。そうやって愛する人が、その発する言葉とともに消えます。しかし思い出すことはできます。その人の言葉を思い出し、その人のことを語る。ちょうどクヌートの祖母が、そしてウルズラ＝トスカが、そして最後にクヌート自身がやってきたように。そうやって世代から世代へと物語がゆるやかに受け継がれていくのです。

クヌートははじめ自分のことを「クヌート」と語ります。ちょうど子供が「わたし」や「ぼく」といった一人称を使えずに、自分のことを「さっちゃんはね」などと自分の名で呼び、三人称で語るように。クヌートはマティアスが自分のことを「マティアス」と呼んでいないことに気づきます。


何と不思議な現象だろう。それでは自分のことをどう言っているかよく聞いていると、「わたし《イッヒ》」と言っている。しかも驚いたことにクリスティアンも自分自身を「わたし」と呼んでいる。みんなが自分自身のことを「わたし」と呼んでいて、それでよく混乱しないものだ。

（265頁）

たしかに現実世界で自他を混乱することなく生きていくためには、子供は自分を三人称ではなくて一人称で呼べるようにならなければならない――「わたし」というものに一貫した内実を与え、いわばみずからの輪郭を固めなくてはいけません。だからこそ、「「わたし」という言葉を使い始めてから、他人の言葉が身体にまともにぶつかってくるようになってしまった」(267頁)とクヌートは感じるのでしょう。しかし小説のなかでなら、「わたし」は、自由自在に「わたし」でないものになれるのです。クヌートの祖母はカフカの「ある犬の探求」を読んで気づきます。

この犬は、それらしい幼年時代や少年時代をつくりあげるのではなく、今考えていること、疑いや不満を思いつくままに書き綴《つづ》っている。わたしだって、じぶんの考えていることを書いていってもいいのかもしれない。本当らしい物語、わたしらしい物語を作っていく義務なんかない。「ある犬の探求」の作者は自由自在に猿になったり、ねずみの世界に潜り込んだりして、自伝なんか書いてない。実際この作家は、人間の姿をして、毎朝勤めに出て、夜原稿を書いていたそうではないか。(83頁)

書くことによって、僕たちは「他なるもの」――他の人間でもいいですし、他の動物でもいいのです——になることができる。あるいは、そうやって、自分ではない他なるものになるために書かれたものが「文学」と呼ばれるものなのかもしれません。

だから、そのようにして書かれた「文学」の言葉を読むことは、その言葉をくぐり抜け、その言葉にどっと浸されながら、みずからを現実の生活で演じることを余儀なくされた役割から解放することなのかもしれません。

多和田葉子はすごいなあ、と僕が感嘆するのは、最後の「北極を想う日」においては、「彼」「彼女」という人称代名詞がまったくと言ってよいほど使われていないところです。クヌートは、なるほどヨーロッパ人なら男性の名前だとわかるかもしれません。しかし僕は読んでいるうちに、クヌートがホッキョクグマなのか人間なのかわからなくなりました（どちらでもよくなりました）し、この「クヌート」=「わたし」が女なのか男なのかまったくわかりませんでした。実際、クヌートの性別は文中にはいっさい明示されていないのです。多和田葉子は日本語の自由と不自由をたくみに使いこなしています。英語やフランス語で、性別を示す人称代名詞を使わずに固有名詞だけで書き続けることはほぼ不可能です。日本語ではその問題は回避できます。ただ、日本語には男性言葉と女性言葉の区別があります。しかし多和田葉子はその区別を感じさせない中性的な文体を使うことで、クヌートの性別を曖昧にしています。

これまで僕は「僕」という言葉で、この文章を書いてきましたが、なんだか不自由になってきました。書くとき、そして読むとき、僕たちは――ではなくて、その主体は、女でも男でもなく中性的な存在になっているのです。ちょうど、「動物がそうでないものになったり、人間がそうでないものになったり」するように。書くことは、読むことは、自由をもたらす。多和田葉子に出会うとはそういう経験なのです。

『雪の練習生』新潮文庫

10 翻訳は母語の可動域を広げる

村上春樹『職業としての小説家』

村上春樹はいまや世界でもっとも著名な日本の作家と言ってよいでしょう。フランク・オコナー短篇賞、カフカ賞、エルサレム賞を受賞するなど世界中で評価されています。そして多くの読者に愛されています。アメリカの空港の書店で、ドイツの駅の書店で、小説が平積みになって売られている日本の作家がほかにいるでしょうか。

作家村上春樹はどのようにして生まれたのでしょうか。それについては村上春樹自身が『職業としての小説家』という自伝的エッセイで詳細に語っています。

村上春樹が作家として活動を開始するのは、一九七九年です。当時、ジャズ喫茶を経営していた村上春樹は、神宮球場にプロ野球の開幕試合を見に行きます。がらがらの外野席の芝生の上に寝転んで観戦しています。試合が始まり一回の裏、ピッチャーの投じた第一球を打者がレフト前にはじき返すのを見た瞬間、不意に「そうだ、僕にも小説が書けるかもしれない」と感じるのです。

そのときの感覚を、僕はまだはっきり覚えています。それは空から何かがひらひらとゆっくり落ちてきて、それを両手でうまく受け止められたような気分でした。どうしてそれがたまたま僕の手のひらに落ちてきたのか、そのわけはよくわかりません。そのときもわからなかったし、今でもわかりません。しかし理由はともあれ、とにかくそれが起こったのです。それは、なんといえばいいのか、ひとつの啓示のような出来事でした。（42頁）

村上春樹は彼が「ひとつの啓示」と呼ぶこの経験を説明するのに、英語の epiphany（エピファニー）という単語を使っています。この感覚が以後の彼の人生の様相を変えることになるでしょう。帰宅した村上春樹は、夜遅く、仕事を終えると台所のテーブルに座って小説を書き始めます。それが彼の最初の小説『風の歌を聴け』だったのです。

作家というのは何せ物語を書くことを生業《なりわい》としている人です。みずからについて語る際には、ときに脚色してしまうこともあるかもしれません。とはいえ、この「啓示」のエピソードについては、村上春樹はいろんなところで触れており、この最初の小説をめぐる逸話は、作家村上春樹の誕生を告げるひとつの「神話」のようなものとして、彼の愛読者にはよく知られています。

そして村上春樹の最初の小説をめぐるもうひとつ有名な、彼の読者にとってはやはりほとんど神話と化した逸話が、村上春樹は最初の作品を英語で書き始めた、というものです。

それまで日本の現代小説を系統的に読んだことがなく、「どんな風に日本語で小説を書けばいいのかもよくわからなかった」という村上春樹は、何ヶ月かかけて最初の小説を書くことになります。しかしその結果に失望します。神宮球場の外野席で感じたepiphanyを実現できているとは感じられないのです。

そのとき村上春樹はまずは万年筆と原稿用紙でその小説を書こうとするのですが、この万年筆と原稿用紙というのがあまりに「文学的」すぎると感じます。そこでこれらの道具を放棄し、その代わりに、所有していた「オリベッティの英文タイプライター」を使って、なんと英語で書き始めるのです。

もちろん、英語は母語ではありませんから、複雑な表現や構文を使って書くことはできません。どうしてもシンプルで無骨な文章になってしまいます。しかし、その文章には自分独自のリズムが生まれているように村上春樹には感じられます。

僕は小さいときからずっと、日本生まれの日本人として日本語を使って生きてきたので、僕というシステムの中には日本語のいろんな言葉やいろんな表現が、コンテンツとしてぎっしり詰まっています。だから自分の中にある感情なり情景なりを文章化しようとすると、そういうコンテンツが忙しく行き来をして、システムの中でクラッシュを起こしてしまうことがあります。ところが外国語で文章を書こうとすると、言葉や表現が限られるぶん、そういうことがありません。そして僕がそのときに発見したのは、たとえ言葉や表現の数が限られていても、それを効果的に組み合わせることができれば、そのコンビネーションの持って行き方によって、感情表現・意思表現はけっこううまくできるものなのだということでした。（46頁）

母語である日本語が、母語であるがゆえに書くことを邪魔するのです。しかし英語で書くことは、無意識的に日本語が課してくる負荷から村上春樹を解放する経験であったことは間違いなさそうです。そして、そのようにして英語で書いた冒頭部分を、今度は日本語に「翻訳する」ことで、彼は「新しい日本語の文体」、「独自の文体」を発見するわけです。そのような日本語であらためて書かれた小説が、『群像』新人賞を受賞したデビュー作『風の歌を聴け』だったのです。

英語で文章を書き、その英語を日本語に「翻訳」することで生まれたのは、いったいどのような文体だったのでしょうか。

僕がそこで目指したのはむしろ、余分な修飾を排した「ニュートラルな」、動きの良い文体を得ることでした。僕が求めたのは「日本語性を薄めた日本語」の文章を書くことではなく、いわゆる「小説言語」「純文学体制」みたいなものからできるだけ遠ざかったところにある日本語を用いて、自分自身のナチュラルなヴォイスでもって小説を「語る」ことだったのです。（48頁）

ここで村上が語っていることは、英語とフランス語で書いたアイルランド出身の作家サミュエル・ベケットの言葉を想起させます。若きベケットは、ドイツ人の知人に対して手紙（一九三七年七月九日、アクセル・カウン宛）にこう書いています。拙訳で紹介します。

ちゃんとした英語で書くことが、実際、僕にはだんだんむずかしくなっています。というか無意味にすら思えるのです。そして僕の言語がますますベールのように感じられるのです。そのベールの向こうにあるもの（あるいは無）に到達するには、それを引き裂かなければなりません。文法に文体！　そんなものは、僕にとってはビーダーマイヤー風の水着とか紳士の平常心なみに的はずれなものになってしまった感じなのです。仮面なのです。言語を効果的にいじめ抜くことが、その最良の使い方になる時代が来るのを——ありがたいことにすでにそれを経験しているグループもあるようです——願うばかりです。言語をいっぺんに捨て去ることはできないのですから、少なくとも言語に汚名を着せるためにできることはなんだってやるべきです。それが無であれ何であれ向こう側に潜んでいるものがしみ出してくるまで、穴を開け続けること——今日の作家にとって、これ以上高い目標はないと思うのです。

ベケットの母語は英語です。しかし、その母語が自分が表現したいものを隠すベール、遮蔽幕になってしまっているとしか感じられない——そうベケットは言っています。文法とはまさに「システム」のようなものでしょう。ここでベケットは文体という言葉を、村上春樹が「純文学体制」と呼んでいるものとほぼ同じ意味で使っているように感じられます。「ビーダーマイヤー様式」は、一九世紀前半のドイツのブルジョワに典型的な文化様式で、ここでは小市民的な趣味の悪さの同義語として使われているようです。紳士の平常心とは、感情を表に出さない四角四面な態度のことでしょう。いずれにしてもそうしたものは、言語の自由を縛る堅苦しく形式的なものとして理解されています。

村上春樹が日本語から解放されるために使った言語は英語でした。ベケットにとってはそれがフランス語だったわけです。そういえば村上春樹は、やはり自分の母語ではないフランス語で小説を書いたハンガリー出身の作家アゴタ・クリストフの体験に自分自身の経験を重ね合わせています。

フランス語は彼女にとっては後天的に学んだ（学ばざるを得なかった）外国語です。しかし彼女は外国語を創作に用いることによって、彼女自身の新しい文体を生み出すことに成功しました。短い文章を組み合わせるリズムの良さ、まわりくどくない率直な言葉づかい、思い入れのない的確な描写。それでいて、何かとても大事なことが書かれることなく、あえて奥に隠されているような謎めいた雰囲気。僕はあとになって彼女の小説を初めて読んだとき、そこに何かしら懐かしいものを感じたことを、よく覚えています。

（46〜47頁）

村上春樹がアゴタ・クリストフの文体に見出した特徴は、ベケットが直接フランス語で書いた小説『モロイ』の文章を形容するのにも使えそうです。外国語を経由することで、作家になったという点がこの三者には共通していると言えるでしょう。

注目したいのは、デビュー作を書くために自身が行なった行為を、村上春樹が「翻訳」と呼んでいることです。アゴタ・クリストフの文体について語ったあと、村上春樹はこう続けます。

　とにかくそういう外国語で書く効果の面白さを「発見」し、自分なりに文章を書くリズムを身につけると、僕は英文タイプライターをまた押し入れに戻し、もう一度原稿用紙と万年筆を引っ張り出しました。そして机に向かって、英語で書き上げた一章ぶんくらいの文章を、日本語に「翻訳」していきました。翻訳といっても、がちがちの直訳ではなく、どちらかといえば自由な「移植」に近いものです。するとそこには必然的に、新しい日本語の文体が浮かび上がってきます。それは僕自身の独自の文体でもあります。僕が自分の手で見つけた文体です。そのときに「なるほどね、こういう風に日本語を書けばいいんだ」と思いました。（47頁）

翻訳というのは、小説家村上春樹を考える上で、とても重要な要素のひとつです。海外においては、日本語からそれぞれの国の言語に翻訳されて読まれている小説家村上春樹のイメージが強すぎて、あまりこの側面が意識されることはありませんが、日本においては村上春樹は、優れた小説家であると同時に、傑出した翻訳者としても知られています。村上春樹はこれまで九〇冊以上の本を翻訳刊行しています。とりわけレイモンド・カーヴァーの翻訳は名高く、日本の読者は彼の翻訳によってカーヴァーを発見したと言っても過言ではないでしょう（僕もそのひとりです）。また、積極的に新訳を行なっていることも知られています。すでに翻訳の存在したフィッツジェラルド、サリンジャー、カポーティ、チャンドラーなど、村上春樹が愛し、おそらく作家としての村上春樹の形成に大きな影響を与えてきた作家たちを、彼自身が翻訳しています。

村上春樹というひとりの人間においては、小説家と翻訳者が同居しています。創作と翻訳——この二つの活動を、これほどの規模と水準で行なっている書き手は、日本には、そしておそらく世界を見渡してもいないと思います。

＊＊＊

村上春樹は世界中で読まれているがゆえに、グローバルな作家だと思われています。それは間違いありません。しかし後述するように、外国文学を翻訳、紹介しているという点で、日本近代文学の伝統の正統的な後継者と呼べる作家なのです。もちろん、ここで僕は村上春樹を「日本文学」という領域に無理矢理押し込みたいわけではまったくありません。

しかし村上春樹自身が、海外で多くの読者から読まれるようになるにつれて、「日本人作家としての責務」を感じるようになったと言っています。

僕はとくに愛国的な人間ではありませんが（むしろコスモポリタン的な傾向が強いと思います）、外国に住んでいると、好むと好まざるとにかかわらず自分が「日本人作家」であることを意識せざるを得ません。まわりの人々はそういう目で僕を捉えますし、僕自身もそういう目で自分を見るようになります。そしてまた「同胞」という意識も知らず知らず生まれます。思えば不思議なものです。日本という土壌から、その固い枠組みから逃れたくて、いわば「国外流出者《エクスペイトリエイト》」として外国にやってきたのに、その結果、元ある土壌との関係性に戻っていかざるを得ないわけですから。（292〜293頁）

ここで少し脱線します。村上春樹はこの引用部の前で、外国ではインタビューを受けたり朗読会や講演も引き受けると言っています。「僕なりにがんばって、自己の枠組みを少しでも押し広げ、外に顔を向けるようにしています。それほどの会話力もありませんが、できるだけ通訳なしに自分の意見を自分の言葉で語るように心がけています」（292頁）。これは素晴らしいことではないでしょうか。二〇一八年の四月に、アメリカのシアトルにある老舗書店エリオットベイ・ブックカンパニーを訪れたときのことです。拙作の英訳が刊行され、アメリカの版元の紹介で、この書店でイベントをやることになったのです。ベテラン書店員のリックさんが司会進行をしてくれたのですが、イベント前に懐かしそうに教えてくれました。「一九九七年（だったと思います）にHaruki Murakamiがこの書店に来て、トークイベントをやってくれたんだ。もうそれはすごい数の人だったよ。ここに移転する前で、もっと大きな会場だったんだけど、入りきれないほどだったからね。素晴らしいイベントになった。*Haruki*は自分が翻訳した作家たち、カーヴァーやフィッツジェラルドについて話をしてくれてね。来た人たちはそれはもうみんな大満足だった」。こういう話を聞くと、もちろん「同胞」などとおこがましいことを言うつもりはありませんが、海外で「通訳なしに自分の意見を自分の言葉で語る」作家が日本にもいるのだと思うと、日本語で書く作家の端くれとしてとても勇気づけられます。

＊＊＊

閑話休題。周知のように、日本の近代文学はまさに翻訳を通じて形成されました。「小説」という文学形式がヨーロッパの発明したものである以上、それは翻訳されることでしか日本に移植されえません。たとえば、西洋的な「小説」という概念を日本に浸透させることに多大な貢献を果たした坪内逍遙は、シェークスピアの翻訳者としても有名ですが、彼自身の文学的なバックグラウンドは、彼が愛読・乱読した江戸文学によって形成されています。その意味で、逍遙の盟友である二葉亭四迷の例も注目に値します。日本の近代文学の文体の形成には、二葉亭の訳したツルゲーネフの『あひびき』の翻訳文体が大きな影響を及ぼしたと言われますが、二葉亭自身の小説は江戸文学の文体から脱することができていません。しかし、その後の日本の文学においては江戸時代の伝統的な文学形式の影響が次第に薄れていき、翻訳された西洋近代文学の影響が支配的になっていきます。

僕たちの知っている近代文学の作家たちは、みな何らかのかたちで外国語と接点があります。夏目漱石は、そのイギリス留学は決して楽しいものではなかったようですが、イギリス文学を英語で読みました。ドイツに留学した森鷗外は、優れた作家であるばかりではなく、優れた翻訳者でもありました。もちろん、作家のすべてが翻訳者であったわけではないのですが、芥川にせよ、谷崎にせよ、荷風にせよ、明治以降の日本の多くの作家たちは、外国文学をそのオリジナルの言語で読んでいたことは間違いありません（谷崎がアーサー・ウェイリーによる『源氏物語』の英訳 *The Tale of Genji* を読んだ上で、『源氏物語』の現代語訳を引き受けたことは知られています）。ノーベル文学賞候補にもなった詩人の西脇順三郎は、英米詩の専門家ではありますが、難解さで知られるフランスの詩人マラルメの翻訳もしています。戦後活躍した作家たちを見ても、大岡昇平、加賀乙彦、遠藤周作、辻邦生は、フランス語が堪能でした（大岡はスタンダールを訳していますし、遠藤はモーリアックを翻訳し、フォークナーをフランス語訳で読んでいます）。堀田善衞はアジア・アフリカ作家会議の事務局長を務めることができるほど英語が堪能で、フランス語やスペイン語も読めました。大江健三郎はふだんから英語で小説や詩、研究書を読み、自作に引用するときは自身の訳を付けることもしばしばです。村上春樹が、「日本語ばかりではなく外国語で文学作品を読み、翻訳もする作家」という日本近代文学の伝統に連なる作家であることはもっと強調されるべきではないでしょうか。しかし、グローバル化した現代に生き、たえず異なる言語の響きにさらされているはずの現代日本の作家は、外国語で文学作品を読むことが少なくなっており、村上春樹の言うところの「自己の枠組みを少しでも押し広げ、外に顔を向ける」努力が足りないのではないかと自戒を込めて思います。そのような状況において、ひときわ輝く村上春樹の存在は貴重です。

さて、デビューした当時、村上春樹の文章は「翻訳調」だと評されたそうです――ネガティブな意味で。先の引用で明らかなように、小説の冒頭を英語で書き、それをもう一度日本語に「翻訳」することで、村上春樹は「純文学体制」から遠く離れた「ニュートラルな」文体を発見します。ところが、そのような文体は「日本語に対する侮辱」だと批判を受けたというのです。これに対する村上春樹の見解にはとても興味深いものがあります。

しかし言語というのはもともとタフなものです。長い歴史に裏付けられた強靱な力を有しています。誰にどんな風に荒っぽく扱われようと、その自律性が損なわれるようなことはまずありません。言語の持つ可能性を思いつく限りの方法で試してみることは、その有効性の幅をあたう限り押し広げていくことは、すべての作家に与えられた固有の権利なのです。そういう冒険心がなければ、新しいものは何も生まれてきません。僕にとっての日本語は今でも、ある意味ではツールであり続けています。そしてそのツール性を深く追求していくことは、いくぶん大げさにいえば、日本語の再生に繋がっていくはずだと信じています。（48頁）

現在、僕たちが村上春樹の文章を読んでも「翻訳調」などと感じることがないとしたら、それはまさに彼によって「あたう限り押し広げ」られた、日本語の「幅」の内側にいまや僕たちが位置しているからでしょう。それにしても、これと似たようなことを誰かが言っていたような……。言語の可能性を広げるためなら、言語は「どんな風に荒っぽく扱われようと」大丈夫だと村上春樹は言います。そうです、「言語を効果的にいじめ抜くことが、その最良の使い方になる」時代こそが理想だとベケットは言っていました。言語に汚名を着せるためにできることはなんでもやるべきだ、と。そうやって言語をとことん痛めつけることができるのは、言葉の「強靱な力」に対する信頼があるからだとも言えます。攻撃され、いじめ抜かれることで、言語は思いも寄らない新しい相貌を見せ、新しい機能を示し始める。それが言語の再生ということです。しかし時が経てば、その新しい表情もまた新鮮さを失い、硬化していき、表現しようとするものから書き手を遠ざける仮面になってしまう。だったら、そのときはまた言語を徹底的に攻撃すればよい。そうやって言語の可動域は、可能性の前線はたしかに拡大していくのです。村上春樹とベケットの言葉は、ベケットが愛読し、本まで書いたプルーストの言葉を思い出させます。「言語を守る最良の方法は、それを攻撃することだ」。優れた作家たちは、美しい本を実現するために、独自の文体を作り上げるために、言語に対して、言語にはお気の毒さまなのですが、同じ——実に厳しい——態度を共有しているようです。

『職業としての小説家』スイッチ・パブリッシング

11 鳥たちはどこで翼を休めるのか

マリー・ンディアイ『三人の逞しい女』

先に紹介したハン・ガンの『菜食主義者』は、最後には木になろうとする菜食主義者の女性の話でしたが、木以外にも重要なモチーフが存在します。第6回の冒頭で引用しましたが、小鳥が出てくる強烈な場面がありました——主人公ヨンへの手に首をしめつけられて死んだ小鳥が握られていたことを思い出してください。それに加えて、彼女の全身に花を描き撮影した義兄のビデオ作品には、「鳥、蝶々、飛行機から蛾や蠅《はえ》に至るまで」（209頁）、翼のあるものばかりが撮影されていました。ヨンへを題材にしたその作品ゆえに精神錯乱を疑われた彼は、逃亡しようとベランダから飛び降りようとします。そのときの「ベランダの欄干の上に、鳥のように飛び上がろうとした」夫の姿を妻は回想します。「ビデオの中で、あれだけたくさん翼のあるものを入れたのに、いざ自分が最も必要なときに飛び上がることができなかった」（255頁）。彼はヨンへの手のなかの小鳥と同様に空を飛ぶことができません。

鳥は自由を象徴するものです。多和田葉子の『雪の練習生』でも、母親から育児放棄されて飼育員に育てられているホッキョクグマのクヌートは、まず鳥の鳴き声や窓辺に現われる鳥の姿から「外の世界」を意識するようになります。「もし空を飛ぶことができたら、まず窓のところまで飛んでいって外を覗いてみたかった」(228頁)。

鳥が自由や広大な世界を象徴するものであるとしたら、移民が主題となっているマリー・ンディアイの『三人の逞しい女』において、鳥のモチーフが重要な役割を果たすことは驚くべきことではないのかもしれません。

マリー・ンディアイは、現代フランス文学を代表する作家と言っても過言ではありません。二〇〇一年に『ロジー・カルプ』でフェミナ賞を、二〇〇九年にはこの『三人の逞しい女』で、フランスで最も重要視されている文学賞であるゴンクール賞を受賞しました。早熟の作家で、一七歳、まだ高校生のときにデビューし、以来ずっと旺盛な創作活動を続けています。彼女が夫でやはり作家のジャン゠イヴ・サンドレと三人の子供たちとともにベルリンに移住する前に、インタビューをしたことがあります。物静かで理知的な女性です。ンディアイは非常に洗練された複雑な文体で知られています。何度も書き直しをした産物なのだと想像していたのですが、ほとんどファーストテイクで生まれた文章だと知り、仰天しました。以前の作品の草稿、手書きのノートを見せてもらったのですが、たしかに書き損じがほとんど見当たらないきれいな頁がずっと続いていました。

ンディアイの父親はセネガル人で、母親はフランス人です。多文化的なルーツを持つわけですが、そのことを直接テーマとして扱うことはなく、それこそその繊細で洗練された文体から、プルーストに連なるフランス的な作家と見なされてきました。

「フランス的な」と書きましたが、二〇一八年のサッカー・ワールドカップで優勝したフランスのナショナルチームのメンバーを見ればおわかりのように、いまや「フランス的なもの」は、多様なものから構成されているのです。フランスの「外」の世界――アフリカの諸地域やカリブ海地域――からやって来た移民とその子孫たちの存在なしに、フランスの社会と文化を考えることは不可能になっています。

これまでにも何度か述べてきましたが、移民や難民たちをどのように受け入れていくのか、という問いは、二〇一五年の「難民危機」以来、フランスのみならずヨーロッパ各国において緊急の課題となっています。二〇〇九年に発表された『三人の逞しい女』は、三つの物語から構成されているのですが、そのすべてに移民が登場しています。移民だった親を持つ女、移民の女性と結婚した男、そしてヨーロッパへの移住を試みる女――この三人の物語が順に語られていくのです。そしてそれぞれの物語の展開において、鳥が重要な、しかし奇妙な役割を演じています。

冒頭の物語では、フランスに暮らす弁護士の女性ノラが、アフリカの国――国名は明示されません――に暮らす父親を再訪するところから始まります。家に近づくと、父が敷居のところに立っているのが見えます。かつてはすらりと長身で服装にも気をつかっていた父が、でっぷりと太り、汚らしい服を着ています。変化はそれだけではありません。

男は身じろぎせず、ノラが近づいてくるのを見つめていた。躊躇と困惑の色の浮かんだその目には、ノラが来るのを待っていたこと、彼女に来てくれと頼んできた、ずっと懇願してきたこと（もっとも、この男に何らかの救いを求めるなんてことができればの話だが）を窺《うかが》わせるものは何もなかった。

男はただそこにいた――翼をバサッとひとつ打って、家に黄色い影を投げかける鳳凰木の大ぶりな枝から、ひび割れたコンクリートの戸口にドサリと着地したところだったのかもしれない。そしてたまたまその瞬間にノラがフェンスに向かって歩いていたのかもしれない。（8頁）

翼？　木の上？　どういうことでしょうか。父がノラに「来てくれ」と連絡してきたのには理由があります。ノラの父はアフリカ出身です。フランスに渡り、ノラの母親と結婚し、三人の子供をもうけます。しかしフ[illegible]では将来の展望がないと考えて、ノラがまだ子供のころに、突然帰国するのです。その際[illegible]姉は妻のもとに置いていくのですが、長男のソニーだけは自分と一緒に連れて行きます。そ[illegible]息子を決してフランスに行かせようとしません。そのことでノラの母は深く傷つけられます[illegible]その後、バカンス村を買い取り、リゾート・ビジネスを成功させます。ソニーは何ひとつ不[illegible]ない生活をしていたはずです。ところがその彼が刑務所に入れられているというのです。父は[illegible]あるノラなら息子を救うために何かできるのではないかと連絡してきたのです。

変化は父の外見だけではありません。家のなかは殺風景で、かつての豊かさが嘘のようです。しかし相変わらず使用人たちに対しては横暴な態度を示しています。

> 父は使用人たちを骨の折れる不便な場所で働かせることをなんとも思っていなかった。それは、自分自身も客もそんな場所に足を踏み入れることがないからだ。指摘したところで父には理解できないだろう。そう思うと腹立たしさは募るが、そんな考え方は、娘の暮らす——父の文化とはまったく異なる文化を持つ——世界に典型的な、そしていかにも女にありがちな感傷くらいにしか思っていないのだ。国がちがえば社会も変わる。そう父は訳知り顔で偉そうに言い放つだろう。（17頁）

ここでは異なる文化的背景を持つ者同士の相互理解の困難さが示唆されています。事実、男尊女卑的な考え方の持ち主である父は、娘たちをわが子としてかわいがったことはありません。再婚して新しい妻とのあいだに双子の娘をもうけるのですが、この子たちの面倒を見ることもありません。

家長に絶対的な権威を与えるアフリカ的な家族観と、個人の自由と平等を重んじるヨーロッパ的な人間観の対立なのでしょうか。しかし異なる二つの価値観の衝突という単純でわかりやすい物語には還元できません。ノラは離婚後、ドイツ人のジャコブと同居を始めます。二人にはそれぞれ娘がいます。しかしジャコブはだらしのない人で、ろくに働かず、ノラに寄生するように生活します。ジャコブの言動が子供たちに悪影響を与えていることにノラは頭を悩ませています。

物語は驚くような展開を見せます。刑務所にいる弟に面会に行く途中、ノラはホテルのテラスに夫と娘たちを見かけるのです。でも彼らはパリにいるはずです。見間違いでしょうか。刑務所からの帰り道、彼女はホテルに立ち寄ります。そのときです――「そよ風のようなものに触れられた気がして、思わず目を上げた。逆光の中、頭上に見えたのはただ、明るい羽色の大きな鳥だけだった。不器用に重たげに飛んでいたその鳥が突然、異常に大きな冷たい影をテラスに投げかけた」（64頁）。この直後、ノラは自分が見た三人がジャコブと娘たちだと確信します。実際テラスに行くと、三人がまるで約束でもしていたかのようにノラを待ち受けているのです。そのままノラたちは父の家を訪れるのですが、その夜ノラは父の秘密に気づきます。「夜、ジャコブが眠っているあいだに、重苦しい雰囲気の漂う家から抜け出した。外に出たところで心が落ち着かないのはわかっていた。父がそこにいて、鳳凰木の上で待ち構えているからだ」（79頁）。

ノラが見た「不器用に重たげに飛んでいた」鳥は何かの象徴なのでしょうか。それとも父親なのでしょうか。

＊＊＊

『三人の逞しい女』の二つ目の物語は、この本のタイトルから予想されるのとちがい、主人公は女性ではありません。ファンタというアフリカ出身（やはりどこの国かは言及がありません）の妻を持つ男ルディ・デスカスの視点から物語が語られます。彼とファンタとのあいだにはジブリルという小学生の息子がいます。ルディとファンタとの関係はぎくしゃくしています。ルディはいまはキッチン設備販売店で社員として働いていますが、その仕事もうまくいっていません。しかもファンタがこの販売店の社長のマニーユと浮気をしたという確信があり、そのことが彼をますます惨めな気持ちにします。その日も朝からファンタと言い争いをします。そして外国からやって来た妻に対して、絶対に言うべきではない言葉を口走ったことを激しく後悔します。謝ろうと家に電話をかけますが、会話はかみ合いません。しかも仕事でとんでもないミスをしており、その顧客の家にも行かなければなりません……。そんなルディにとって気のふさぐような一日が描写されていくなかに、彼自身の過去のさまざまな瞬間が回想されていきます。

ルディのみじめな気分は、通勤の通り道にある噴水の彫像を見るたびにかき立てられます。それは「背中を丸め、頭を垂れて両腕を前に伸ばした」、どこか怯えた様子の像です。

ルディは毎朝、古いルノーのネヴァダに乗ってロータリーをゆっくりと回り、マニーユの社屋へと続く道に入っていきながら、この噴水が完成する過程を最初から順々に見てきた。初めは何気ない好奇心だったものが、いつの間にか困惑に、次いで、像の顔と自分の顔がそっくりだと気づいてからは不安に変わった（四角く平べったい大きな額、鼻筋は通っているがやや低い鼻、えらの張った輪郭、大きな口、丸みを帯びた顎先はまさしく、決然とした足取りで自分の目指すところに向かう自信に満ちた男の顔だった。マニーユであくせく働いているだけの人間がそういう顔をしているなんて、痛々しいというよりは滑稽《こっけい》じゃないか、ルディ・デスカスよ?)。そして、このあたりに住むR・ゴクランとかいう芸術家がこの像の股間に彫った、ひどく巨大な性器を目にしたときには激しく動揺した。彫像の無気力で弱々しい様子と巨大な陰嚢とのあまりの落差に、ルディは自分が残酷な嘲りの対象になった気がしてならなかった。(101頁)

金髪のいわば生粋(あえてこの言葉を使います)のフランス人であるルディにとって母国が居心地のよい故郷でなくなっていることがここには示されています。相反する二つの状態——前向きな意思と無気力さ——が同居するこの立像は、ルディの逃げ場のない状況を象徴しているかのようです。母国フランスでの現在の暮らしは耐えがたいものです。しかし彼には逃げ場がありません。ファンタの母国にも行くことはできません。

中世文学の研究をしていたルディは、小さなころ両親と過ごしたことのあるアフリカの国で高校教師として働いた経験があります。そこで同僚だったファンタと恋に落ち、結婚します。二人は幸せです。息子も生まれる。しかし、ある日ルディは生徒たちとのあいだに暴力事件を起こし、解雇されてしまいます。

生徒たちに地面に組み伏せられたときの屈辱と痛みを思い出すルディの脳裏にさらにおぞましい事件、彼の父親が同じアフリカの土地で犯した血塗られた事件の記憶が甦り、彼を苦しめます。車を運転しながら、和解のためにファンタに連絡をしようと考えたルディの「目の前に、低く滑空するノスリの明るい色の腹と茶色の大きな翼が見え」ます。

ノスリはフロントガラスに突っ込んだ。

ノスリはワイパーを鉤爪《かぎつめ》でつかむと、腹をガラスに押しつけた。

ルディは驚きの声を上げ、急ブレーキを踏んだ。

ノスリは動かなかった。

翼をフロントガラスいっぱいに広げ、首をこちらに向けたノスリは、ぞっとするほど険しい黄色い目で見つめてきた。

ルディはクラクションを鳴らした。

ノスリは胸をブルブル震わせた。しかしさらに鉤爪をきつく閉じたように思われた。そして咎めるような冷たい視線をルディの顔から離すことなく、怒った猫のような声を一声上げた。

（191頁）


ノスリは車を離れるとき、鉤爪でルディの顔に傷をつけます。ルディはこの鳥は、どういうわけか自分に対して怒ったファンタが送りつけてきたものだと信じます――「ファンタ、あんな恐ろしい復讐の鳥を俺に送りつけてくる必要はないんだよ」（208頁）と彼は心のなかで妻に語りかけます。彼には妻の怒りの理由がわかります。高校を解雇されたあと、妻と幼い息子を連れてフランスに戻るためにルディは嘘をついたからです。

フランスにしか俺たちの未来はない、とルディは断言した。きみは運がいい。俺と結婚しているからフランスで生活することができるんだ。仕事についても何の心配もないよ。向こうの中学か高校に職を見つけてあげるから。そして何ひとつ確実ではないのはわかっていたのに、疑念が膨らんでいくにつれて声はますます雄弁な調子になっていった。そして、もともと信じやすい性質のファンタは疑いもしなかった。たぶん、ルディが以前のルディに――つねに額に落ちてくる淡いブロンドの髪が、息を吐いたり首をさっと動かしたりするたびにふわりと持ち上がる、あのよく日焼けした恋する陽気な顔の若い男に戻ったものだから、なおのこと疑おうとはしなかった。（234頁）

しかしファンタには移民が直面する厳しい現実が待っています。フランスでは母国と同じような教職には就けません。教師としての未来を思い描いていただけにファンタのルディへの恨みは深くなるでしょう。しかも金髪の天使を信仰する怪しい宗教にはまったルディの母親は、実の孫のジブリルを、そのアフリカ系の外見ゆえにまったく愛そうとしません。物語の最後で、ルディは小学校から連れて帰った息子を母のところに預けようとします。そのとき、父に破滅をもたらした出来事について語りながら、ルディの人生の行き詰まりはファンタとの結婚のせいだと母はほのめかします。

「うまく行かなかったのは」とルディは言った。「あの国のせいじゃなくて、父さんのせいだよ」

母さんは勝ち誇ったように、とげとげしくせせら笑った。

「あなたがそう思ってるだけよ。あなたはあまりに色が白くてあまりに金髪だったから、あいつらはそれを利用したのよ。あなたを破滅させようとしたのよ。愛なんてものはね、あっちには存在しないのよ。あなたの妻があなたと結婚したのは欲得からよ。あの連中はね、愛がどんなものなのか知らないの。金と地位のことしか頭にないの」

（256頁）

この発言を聞いて、ルディはもう二度と母のところには来ないと決意します。母の家を出て、息子を乗せて車を発進させたとたん、車は何か柔らかい塊の上を通り過ぎます。息子が振り返って声を上げます――「鳥を轢いちゃったね」。この鳥は、先ほどの引用のあとも何度かルディを襲おうとしたノスリのようです。鳥は死にます。これはいったい何を意味しているのでしょうか。ルディとファンタは和解できるのでしょうか。最後の場面で、それまで隣人に挨拶をしたことのなかったファンタが隣人に手を振る姿が描かれ、ファンタの怒りが解けたことだけは窺えます。

❁
❁
❁

三人目の「逞しい女」は、カディ・デンバというアフリカからヨーロッパに渡ろうとする女性です。カディはその願いと努力もむなしく子宝に恵まれません。理解のあった優しい夫が突然亡くなったあとは、一緒に暮らしていた夫の家族から邪魔者扱いされます。そしてついにある日、金を渡され、荷造りをして家を出ていくように言われます。

義母はさらに四つ折りにした紙片も押し込んできた。そこにいとこの住所が書いてあると言った。
「あっちに、ファンタのところに着いたら、わたしたちに金を送るんだよ。ファンタ

はもう金持ちになってるはずだから。あの子は学校の先生なんだからね」（274頁）

密航業者に連れられてカディは家をあとにします。色の濃いサングラスをかけたその男が、カラスなのではないかとカディは疑い始めます。「男のミラーグラスの背後には、カラスたちのあのじっと厳しく見つめてくる小さな丸い目が隠されているのでは？　奇妙にも首までボタンをきっちり留めたチェックの半袖シャツの下には、カラスたちの前胸を飾るあの白っぽい羽毛の筋が隠されているのでは？」（285頁）。その男に案内されるがまま、カディは多数の移民たちが集結した中庭にたどり着きます。数日後、他の者たちを追って、おそらく沖合いで待つ密航船に向かうボートに乗り込もうとしますが、恐怖に駆られて浜辺に引き返します。その後、カディはラミーヌという若者に出会い、二人でヨーロッパへ行く方策を探ります。ラミーヌもまたカディに鳥を、「カディが小さなころ海岸で見た覚えのある、しかしいま思えば名前も知らない」（307頁）鳥を思い出させます。

二人は海路ではなくて陸路でヨーロッパを目指します。小説のなかでは言及されていませんが、二人が目指しているのは、モロッコと隣接する、アフリカにあるスペインの飛地領のセウタでしょう。国境はフェンスで区切られているだけで、そこを越えればEU加盟国のスペインです。しかし目的地は遠く、途中の検問で軍人に金を奪われるなどして金が尽きた二人は、流れ着いた砂漠の町から先に進むことができません。さらに旅を続ける資金を貯めるために、カディは安食堂の女主人にあてがわれた部屋で働くことになります——むろんウエイトレスや料理人としてではありません。

大半の時間、ベージュ色のスリップを着て、カディはそこに横たわっていた。女が連れてくる客は、たいていがやはりこの町に流れ着いて、どこかの家の使用人として何とか食いつないでいる、みすぼらしい風采の若い男だった。ひどく暑くて息苦しいこの部屋に入ってくると、往々にして怯えた目つきであたりを見回した。その様子は自分自身の欲望に従っているというよりは、食堂の客という客をここに連れてこようとする女主人の罠にはめられているように見えた。

女は出て行くと、ドアに鍵をかけた。（318頁）

カディはどんどん痩せ細り衰弱していきます。そしてようやくある程度の資金が貯まったと思いきや、カディの身にさらなる災難が降りかかります……。

カディは身も心もボロボロになりながらも諦めずに前進するでしょう。フェンスのすぐそばまでたどり着き、他の移民たちと一緒に登攀《とうはん》を試みることになるでしょう。カディは成功するのでしょうか。そのときやはり鳥が現われます。

目を大きく見開いたまま、灰色の長い翼を持つ一羽の鳥が、ゆっくりフェンスの上空を飛ぶのを見ていた。あれはわたし、カディ・デンバなの、とこの啓示に眩暈を覚えながら思った。そしてわかっていた――自分はあの鳥であり、あの鳥はそのことを知っている。

（332頁）

『三人の逞しい女』の三つの物語のどれにも鳥たちが現われるのはどうしてなのでしょうか。この鳥たちは何かの象徴なのでしょうか。鳥の翼は自由を連想させます。しかし、ひとつ目の物語において、かりにノラの父親が鳥になっているのだとしても、その鳥は決して空を舞うことはありません。夜になると木の枝の上に身を置き、ときどきドサリと地面に下りるだけです。しかもこの鳥ときたら、みずからの存在によって娘たちや息子の思考や行為の自由を奪い、子供たちを不幸にしています。二つ目の物語では、鳥は空を飛翔していますが、しかしそれはルディを攻撃するためです。そして最後には地上に落下し、車に轢かれています。最後の物語ではどうでしょうか。鳥を思わせる人物たちがカディをガイドしています。しかしつねにより悪い方向にカディを連れて行っているように見えます。

たしかに最後の場面では、長い灰色の翼を持つ鳥が空高く飛んでいます。でも、それを目を見開いて見ているということは、カディはいったいどこにいるのでしょうか……。

よく考えると、この小説のタイトルは不思議です。『三人の逞しい女』。でも、ノラも、ファンタも、カディも、「逞しい」と僕が訳した puissant という言葉――英訳ではパワフル powerful となっています――が喚起する力強さからはほど遠い。むしろ逆です。彼女たちは、悩み、悲嘆に暮れ、疑念に駆られ、騙され、無力な怒りに苛まれ、辱められています。この小説の人物たちはみな移民か、移民と一緒に暮らす者であることを思い出しましょう。移民社会と言われるフランスでさえ、異なる背景を持つ者たちが共生することは難しい。そこにはつねに疑念や迷いや無理解や敵意が生じ、ときには激しい対立や不和が生じるかもしれません。しかしそれでも諦めずに、遠いところからやって来た者たちとともに生きること。わかりやすく単純な正解を求めるのではなく、むしろ正解などどこにも見当たらない不確実や不可解な状況に耐え続けること。イギリスの詩人キーツ――そういえば、彼にも小鳥を歌った有名な詩が、「ナイチンゲール頌《しょう》」があります――であれば、「消極的能力《ネガティブ・ケイパビリティ》」と呼ぶであろう「逞しさ」が三人の女性たちにはあります。

『三人の逞しい女』拙訳、早川書房

12 故郷と異郷のあいだに架かる橋

マリリン・ロビンソン『ハウスキーピング』

マリリン・ロビンソンは、アメリカ現代文学における最重要作家のひとりです。オバマ元アメリカ大統領が愛読している作家としても知られています。これまで発表した小説は、ピュリッツァー賞をはじめ、数多くの重要な文学賞を受賞し、高く評価されています。

しかし、この高名な文学者の名前を僕が知ったのは、二〇一四年のことです。イギリスのノリッジで開催された文学会議「ワールズ」で知り合った作家アキール・シャルマのおかげです。シャルマが『ファミリー・ライフ』を一二年半かけて執筆したことはすでに話しました。この小説をどのような「声」で語るのか。その文体を作り出すために参考として読んだいくつかの小説のタイトルを、シャルマはエッセイのなかで挙げていました。そのなかにマリリン・ロビンソンのデビュー小説であるこの『ハウスキーピング』があったのです。

この小説は家族についての物語です。しかしなかなか独特な家庭です。ルースという女性が過去を回想します。ルースにはルシールという妹がいます。二人はフィンガーボーンという小さな町に祖母と一緒に暮らしています。

冒頭で、このフィンガーボーンが、主人公の家族が長く暮らす土地ではなく、彼女の祖父によってほとんど恣意的に選ばれた土地であることが明らかにされます。「ある春のこと、祖父は地下の家を出て線路まで歩き、西へ向かう列車に乗った。乗車券売り場の職員に山のあるところに行きたいと告げたら、ここで降りるように手配してくれた」(4頁)。そうやってこの山と湖に挟まれた土地にやって来ると、彼は町はずれの小さな丘に一軒家をみずからの手で建てるのです。この祖父は鉄道員です。彼をこの町に連れて来たのが列車だとすれば、彼を二度と戻れない場所に連れて行くのも列車です。乗っていた列車が湖に架かった橋を渡る途中に脱線事故を起こすのです。「月のない闇夜が更けた頃、惨劇は起こった。黒光りして優美で火の玉とも呼ばれた列車が、橋の半ばを過ぎたあたりで機関車の先頭から湖に突っこみ、続いて後方の部分が、岩から水中に潜るイタチのように滑り落ちていった」(5頁)。

家族の来歴が語られるときに真っ先に言及されるのが、この祖父の列車事故による死なのです。ここに出てくる、家、列車、湖、橋という要素は、この小説においてとても重要な役割を果たすことになります。列車が「火の玉」(the Fireball) と呼ばれていること、湖とは水が大量に満たされている場所であることにも留意しておきましょう。なかでも湖は、主要な登場人物のひとりではないかと思えるほど、この小説においては大きな存在感を放っています。

確かにフィンガーボーンでは人が湖を、というより湖の深いところ、光も空気も届かない水の底のほうを、いつも意識している。春になって土を切り裂き耕すと、畝《うね》の間から吐き出されるのはいつもあの鼻につく水っぽい匂いだ。吹く風は水を含み、どの揚水ポンプも小川も側溝も、混じりけのない純粋に水だけの匂いがする。地盤にあるのは古い湖だ。それは覆い隠された名もなき完全な暗黒だ。そしてフィンガーボーンという、地図や写真で見かける湖がある。この湖は陽光に満ち、植物や無数の魚を養っている。（8頁）

なるほど、湖は命を育むものです。表面には「陽光」がきらめいています。そこは命あふれる世界です。しかし「光も空気も届かない水の底」には何があるのか。脱線した列車です。そこには語り手ルースの祖父も含めて多くの乗客が乗っていました。湖の底に広がるのは「完全な暗黒」、死の世界です。死体はひとつとして見つかりません。まるで列車は脱線したのではなく、最初から死の世界を目指して突進していたかのようです。だから、ルースとルシール姉妹の母親であるヘレンが死を目指したとしたら、それは彼女自身の父親の死を奥底に抱え込んだ水の影響から逃れることができなかったからかもしれません。ルースたち姉妹はシアトルで母親に育てられます。ヘレンは母の反対を押し切って、レジナルド・ストーンという男と駆け落ち同然で故郷をあとにしています。しかしおそらく男はヘレンとすぐに別れたのでしょう、ルースたちのシアトルでの生活に父親の姿はありません。母と娘二人、女だけの家庭です。そして七年半後、ついに母は帰郷を決意します。隣人のバニースという女性に車を借りて、フィンガーボーンを目指します。

それは宿命の旅になった。ヘレンは私たちを連れて山を抜け、荒野を越え、ふたたび山に入り、それからついに湖に達して橋を渡り、町に入り、信号を左に曲がってシカモア・ストリートに入り、まっすぐ六ブロック進んだ。そして、猫とどっしりした洗濯機がある網戸付きのポーチにスーツケースを置き、私たちにそこで静かに待っているように言った。それから車に戻って北へ向かい、タイラーの手前あたりまで走ると、そこでウィスキー・ロックという崖からバニースのフォードごと湖の漆黒の奈落へ飛びこんだ。（21頁）

ヘレンはまるで父のあとを追ったかのような死に方を選びます。ヘレンの遺体も見つかりません。列車と同様に内燃機関を持つ機械である自動車によって、ヘレンは死の世界である湖の底に旅立ちます。この場面にも家が出てくるのですが、全体として描写されるのではなく、興味深いことに、ただ戸口だけが記述されます。そこに娘たちを置き去りにすると、ヘレンはかつて両親と姉と妹と一緒に家族として暮らしていたこの家には足を踏み入れないまま、湖の奥深くに沈んでいきます。

母の死後、ルースとルシールの姉妹はその家に五年ほど祖母と一緒に暮らします。祖母の死後は、彼女の義理の妹にあたるリリーとノーナという姉妹が子供たちの面倒を見ます。しかし年寄りのこの姉妹にとって、ルースとルシールの世話をするのは心配事が多く、骨も折れます。そこで亡きヘレンの妹であるシルヴィを家に呼び寄せようと考えます。しかしなかなか連絡がつきません。というのは、シルヴィはフィッシャーという男と結婚したものの、その結婚はとうに解消され、「渡り労働者」としてその日暮らしの生活をしていたからです。ようやく連絡がつき、シルヴィがやって来ます。「シルヴィは三十五歳ぐらいで、背が高くほっそりしていた。ウェーブのかかった茶色い髪を耳にかけてピンで留めていた。その場に立ったまま、はみ出ていた髪を後ろへなでつけ、身なりをきちんと直した。髪は濡れ、手が寒さのせいで赤くがさがさになっていて、素足にローファーだけを履いていた。レインコートがだぼっとして大きすぎるところを見ると、ベンチで拾ったものにちがいない」(46〜47頁)。

こういう人がひとつの場所に定住することができるのでしょうか。いつ出ていってもおかしくない――そう姪たちが不安に駆られても不思議はありません。ある日、シルヴィが朝食後に出かけます。ちょっとした散歩でしょう。しかし二人の姉妹は慌てて寝間着のネグリジェの上からジーンズを穿《は》くと、あとを追います。

私たちは固くなった融雪《ゆうせつ》や凍結した車輪の轍《わだち》や氷の破片を踏み越えながら、できるだけ早足で目抜き通りに向かった。「きっとリリーとノーナが出ていくように言ったんだ」と私は言った。ルシールは首を振った。顔が赤らみ、頰が濡れていた。「大丈夫だよ」と私は言った。ルシールは無造作に袖で顔をぬぐった。
「大丈夫なのはわかってるんだけど、気が変になるの」(58頁)

少女たちはシルヴィについて、母の妹であるという点を除けばほとんど何も知りません。しかし彼女たちは明らかに叔母に母の姿を重ね合わせています。ここでシルヴィは、わが子を置いて死へと旅立った姉の行動を反復しているかのようです。ルシールはそのことを感じ取っているのでしょうか。胸が切なくなる情景です。少なくともここには、母のいない娘たちの寄る辺なさが、その悲しみが表現されています。シルヴィは彼女たちの支えになれるのでしょうか。

＊＊＊

祖母の義理の妹たちが去り、シルヴィと姪たちの三人だけの生活が始まってすぐ、フィンガーボーンには四日間にわたって雨が降り続けます。ようやく太陽が戻ります。その下に広がる町は水で覆われ、多くの家が浸水しています。「水が凪《な》いでいたので、水面に映った倒木の幹や枝の鏡像が、沈んだ半身の代わりをした。（中略）洪水の重みが全部かかって、湖の氷は沈みこんだ。そして氷は柔らかくももろくもなく繊維質に近いためにねじ裂かれることになるのだが、生骨のように割れにくかった。午後になると、湖の巨大な苦悶の声がとどろき渡った。陽は照り続け、洪水の水は満ちあふれて波が立たなかったので、雲一つない空を映した傷一つない鏡と言ってもいいほどになった」（65〜66頁）。ここは湖や光の描写でありながら、生き物の痛みや苦しみを喚起する表現が頻出しています。静かな湖の表面は鏡のように世界を正確に映し出しています。それは世界が二つに引き裂かれていることを意味しているのかもしれません。奥底に光り輝く太陽を持つこちらの世界と奥底に死を抱え込んだ湖が映し出す世界。どちらがより本当の世界なのでしょうか。

ルースとルシールは水浸しの階下に下りていきます。「客間は光に満ちていた」（66頁）。しかし湖とつながる水は死をはらんでいます。濡れて黒ずんだソファを押すと「膿のような汁」が滲み出ます。階下に下りた少女たちの前にシルヴィが現われます。「祖母のブーツをはいたシルヴィが廊下を歩いてきて、ドアから顔を出した」（66頁）。この祖母はフィンガーボーンから一歩も外に出ることなく、いま水浸しになっているこの家で息を引き取った人でした。いま娘であるシルヴィは、そのブーツを履いているのです。これはシルヴィがルースたちとともに暮らし続けることを暗示しているのでしょうか。

たしかに、シルヴィは姪たちのもとに留まります。しかし彼女が社会的規範からはいささかズレたエキセントリックな人であることが次第に明らかになっていきます。彼女の「家事＝ハウスキーピング」は独特です。

こうしてシルヴィが家事を始めてまだ日が浅いうちに、わが家は果樹園や独特の気候と絶妙に同調するようになった。こうやって彼女はちょっとしたことから、ひょっとすると知らないうちに、ハチやコウモリやツバメを招く準備を始めていたのだ。シルヴィは家事のあれこれについておおいに語った。水と漂白剤を入れたたらいに布巾を一枚残らず何週間も浸していたし、いくつかある食器棚の中身を全部出してから開け放して空気を入れた。キッチンの天井の半分と、ドア一枚を掃除したこともある。シルヴィは強力な溶剤、そして何より空気に信頼を寄せていた。だからドアや窓を開けるのは空気を入れるためだったが、開けたままにするのはたぶん閉め忘れのせいだった。そして早起きをした天気のいい日、祖母の濃い紫色のソファを前庭に引きずり出したのは空気にさらすためだったが、それは色あせてピンクになるまでそこに置きっぱなしにされた。（88〜89頁）

しかも渡り労働者のときの習慣が抜けず、服を着たまま靴も脱がずに寝るのです。このどこかアウトロー的な叔母の影響を受けたのか、多感な少女たちは、学校をずる休みして湖に行ったりするようになります。しかしシルヴィはほとんど頓着しません。

ある日、ルースたちが学校をさぼって湖に行くと、そこにシルヴィの姿があります。「首をかしげて湖を長いこと見つめていたが、それから寒さなどどこ吹く風といったご機嫌な様子になった。すると湖の向こうから警笛が聞こえてきて、やがて森からゆっくりと列車が姿を現し、橋の上に進み出るのが見えた」（83〜84頁）。その列車のあとを追うように、シルヴィは土手を登って線路をたどり、橋の上を歩き始めるのです。強風が吹いています。湖面を覗き込んだあと、湖畔にいる姪たちに気づきます。戻ってきた叔母は橋の上を渡るのはどんな感じか知りたかったのだと言います。


ルシールは言った。「どんな感じか知るためだけにやったの?」

「そうだね」

「落ちたらどうするの」

「ああ。すごく気をつけてたよ」シルヴィは言った。

「もし落ちたら、自分の意志でやったんだって皆思うよ。私たちだって」とルシールは言った。

シルヴィはちょっと考えこんだ。「そのとおりだね」彼女はルシールの顔にさっと視線を落とした。「心配させるつもりはなかったの」（85頁）

エキセントリックなシルヴィはどこか危うさを抱えた人です。この不安定さにルシールは耐えられなくなっていきます。いったん疑念や不信感が生じてしまえば、思春期の多感な少女にありがちなことかもしれませんが、ルシールには叔母のやることなすことすべてが不快に感じられるようになります。自分たちは周囲の人たちとはちがう生活をしている。どうやら自分が暮らしている家はふつうの家ではない。その「ちがい」がルシールを苦しめるようになります。世間が自分たちをどのような目で見ているのかをひどく気にかけるようになっていきます。ここでもまた、湖と橋が家のなかに不穏なものを持ち込んでしまったかのようです。

ルシールはこのとき、自分がシルヴィと姉と三人だけで生きる世界とはちがう世界があることに気づいたと言ってもよいでしょう。この点に関して興味深い場面があります。シルヴィは暗がりにいることを好む人です。ある夏の晩、ルースたちが月明かりで満たされた台所に入っていくとシルヴィが座っています。シルヴィは一言も発することなく、簡単な料理を用意します。「どうして黙っているのか私にはわかったし、ルシールにもわかっていた。つまり、これほどしんみりしていて、これほど玉虫みたいに輝く青で、虫がチリチリ鳴いたり羽をすり合わせたり、太った老犬が隣の前庭で鎖をチャリチャリ引きずったりする音でこれほどあふれている晩には——こんなに果てしなく広がり、光を帯びている晩には、私たちはいつもより敏感にお互いの近さを感じるものだ」（103頁）。三人は平穏さと調和に包まれています。ところが、ルシールが室内の照明をつけたときです——

窓が黒くなり、散らかったキッチンがぱっという感じで姿を現し、元の状態からかけ離れてしまった。この世界が、原初の暗闇から隔たっているぐらいに遠く。

（103頁）

電気の光は耐えがたいほど荒れ果てた家の姿をむき出しにします。汚れた鍋や皿が山積みにされています。真っ白だった家具は黄ばみ、塗料は至るところではがれ、薪ストーブの煤《すす》で天井や壁は黒ずんでいます。

何より気分を萎えさせるのは、ルシールの脇にかかっているカーテンだったかもしれない。それは以前、誕生日ケーキを近づけすぎて火がつき、半分焼け落ちていた。火はシルヴィが『グッド・ハウスキーピング』誌のバックナンバーでたたいて消し止めたのだけれど、後でカーテンを取り替えることはしなかった。それは私の誕生日で、ケーキは思いがけないサプライズだった。（中略）このときシルヴィはおおいに楽しんでいた。もしかするとカーテンは、それを思い出させるものだったのかもしれない。

（104頁）

この火を消すために用いられた雑誌のタイトルが実に皮肉に響きます。家事がきちんとなされず、「グッド・ハウスキーピング」とはとても言いがたいこの家の内部を照明の光が明るみに出すことがなければ、三人は幸福なままでいられたのでしょうか。

照らし出された室内の惨状は、おそらくルシールを目覚めさせます。彼女はいわば「世間」の側に移ることを決意したのでしょう。その直後にルシールは叔母に言い放ちます。「旦那さんがいたことなんてないんじゃないの」。叔母の言葉を信じないこと。ここでルシールは叔母の物語の世界の登場人物になることを拒絶し始めているように見えます。ルシールが生きることを望むのは、月明かりに照らされた夜の世界（月が西洋文化においては狂気や非理性と結びついていることを思い出してもよいかもしれません）や湖の底のように暗い世界ではないようです。

ルシールが光の世界に惹きつけられるのとは対照的に、語り手のルースは闇に惹きつけられます。一度、ルースとルシールは湖まで行き、岸辺で夜を明かす羽目になります。二人は流木で小屋らしきものを作って、そのなかに身を寄せ合って座ります。ルシールは闇のなかで近づいてくる生き物を恐れて石を投げます。「絶えずそわそわし、私たち人間の境界が少しでも蹂躙《じゅうりん》されるのを決して受け入れようとはしなかった」（118頁）。他方、ルースにとって闇は、むしろ安心感のようなものをもたらします。「ただ空の暗闇と、私の頭蓋や内臓や骨の中の暗闇が同じ広がりを持つようになった。目に映るものすべてが幻影であって、この世の真の動きを覆い隠す膜だ。神経や脳がだまされて、人は夢を見せられる」（118頁）。この夢のなかでルースは祖母や母のことを思い出します。「答えをくれるのは暗闇だけだ」とルースは感じます。「暗闇さえ無傷で無限に続くなら、遺品も名残も境界も残滓も形見も遺産も記憶も回想も痕跡も足どりも必要なくなるように思えた」（119頁）。暗闇のなかでは死者と生者を分かつ境界がかき消え、ルースは愛する者たちと、祖母や母と一緒にいられるのかもしれません。湖畔での夜が明けると、雲はピンクや薄緑色になり、低い空は赤錆び色になって、上空には「オウムのような色彩」が広がっているのに、大地は暗いままです。光と闇に対する二人の態度は正反対です。

「これ以上明るくならない気がする」と私は言った。
「なるよ」とルシールが返事した。

（119〜120頁）

姉と妹はまったく反対の道を進むことになるでしょう。ルシールは、シルヴィと姉との三人だけの生活から抜け出そうとします。学校でも勉強に励んで優等生になり、「シルヴィの家」——と彼女は言います——から、フィンガーボーンから出ていくことを願います。

世間から自分たちがどう見られているかを気にするようになり、その視線を内面化したルシールにとって、シルヴィは自堕落な渡り労働者にしか見えなくなってしまいます。同じ家に暮らしながら、ルシールはシルヴィとルースとは食事を取らなくなります。そしてある日、家からいなくなります。

興味深いことに、ルシールがいなくなるのは、シルヴィがルースに、自分の見つけた湖のそばの打ち捨てられた家と果樹園――「ほとんど陽があたらなくて、七月までは一日じゅう地面から霜が消えない」(141頁)ような場所ですが、シルヴィは「素敵」と形容します――について語り、一緒に行こうと誘った翌日なのです。

ルシールはどこに行ったのでしょうか。彼女は独身の家庭科の先生の家に駆け込みます。そして驚くべきことに、その女性の養女になるのです。「その夜から、私には妹がいなくなった」(145頁)とルースは振り返ります。

❁　❁　❁

ルシールを失った二人は、廃墟となった家と果樹園を訪れます。そしてルースはシルヴィと一緒にボートに乗って、湖の上を漂います。シルヴィは橋の下にボートを止めて、列車が通るのを待つのです。すでに夜の帳《とばり》は降り、湖は月明かりに照らされています。光がシルヴィの周囲に後光のようなものをつくっています。いくらルースが話しかけてもシルヴィは返事をしません。そのとき、不意にルースは生者と死者の区別がつかなくなります。母ヘレンと一緒にいる気がします。

私の目の前で顔が見えなくなっている姿がシルヴィでいいなら、ヘレン本人だっていいんじゃないか。シルヴィの名前で声をかけても、彼女は返事をしなかった。それなら、どうやって判断できる。もし私の目から見てヘレンなら、なぜ本当にヘレンであってはいけない?

「シルヴィ!」と私は言った。

返事がなかった。

(170~171頁)

そのとき橋桁が唸るような音を立てます。列車が近づいてきたのです。

「ヘレン」と私はささやいた。でも、返事はなかった。

そのとき、橋が落ちんばかりに揺れながら低い轟音を立て始めた。橋のあらゆる接続部を激しい音とともに衝撃が襲い、強く連打した。光が流星のように頭上を流れて

いくのが見え、熱くなった黒い油の嫌な臭いがし、線路に車輪がきしる音が聞こえた。とても長い列車だった。（171頁）

このときすでに、シルヴィとルースは列車とともに、フィンガーボーンを立ち去ることを運命づけられていたのかもしれません。湖でのこの一件からしばらくして、保安官が家にやって来ます。彼は町の人たちの、シルヴィに対する懸念を体現しています。渡り労働者であるシルヴィがルースによからぬ影響を与え、このまま放っておくとルースまでも渡り労働者にするかもしれないと危惧するのです。介入してくるのは保安官だけではありません。信仰心の強い町の婦人たちもシルヴィのところに話をしに来るようになります。公的な権力と道徳的な配慮が、もちろんともに善意から発するものですが、叔母と姪の二人から成る、ほかの何者も必要としない親密な空間に侵入し、二人を引きはがそうとします。それはすでに合理性や秩序に支えられた世界の住人になった妹ルシールからすれば望ましいことに思えるかもしれません。しかしルースとシルヴィにとっては決して幸福なことではありません――とりわけシルヴィにとっては。「シルヴィは私を失いたくなかった。失って私の存在が巨大になり、家全体を占拠する感じにさせたくなかった。かといって存在が希薄になって見分けもつかなくなり、夢と夢を隔てる膜をとおり抜けてしまうようにもさせたくなかった」（199頁）。

シルヴィは彼女の「家＝家族」を、つまり姪ルースとの同居を維持し続けることができるのでしょうか。自分がルースの親権者としてふさわしい人物であることを保安官とフィンガーボーンのコミュニティに対して証明すべく、彼女は家事＝ハウスキーピングに熱心に取り組むでしょう。シルヴィは、家を片付けようとたまった古い雑誌や新聞を焼き払います。「シルヴィは万人がよいと認めそうなことを、恐るべき勤勉さと努力でもって片っ端からやりこなした。私たちはその夜、新聞と雑誌をことごとく焼き尽くし、さらに運送用の木箱と靴箱に加え、年鑑とシアーズの商品カタログと電話帳も最新刊を含めて焼いてしまった」（204頁）。その後、図書館で借りた本まで焼いてしまいます。いかにもこの人らしく、シルヴィの奮闘ぶりは徹底的で過剰です。そうやって家にある何もかもを燃やさなければならないのだとしたら、最後にはいったい何が燃やされることになるのか。みなさんにもおそらく想像がつくはずです。

二人はフィンガーボーンを出ていくことになるでしょう。でもどうやって？

「一つ方法があるよ」やけにうれしそうな低い声で、シルヴィが言った。

「何」

「橋を渡る」
「歩くの」
「犬も追ってこようとはしないよ。どうせ誰も犬を信じないだろうしね。誰もやったことないんだから。橋を渡るなんて。誰も聞いたことない」（214頁）

このクライマックスと呼べる場面においても、まるで円環が完結するように、冒頭から強烈なイメージを読む者に与えたものたち――家、列車、湖、橋――が現われ、重要な役割を演じます。

円環が完結？

小説のいちばん最後の場面で、ルシールはレストランのテーブルに座って友人を待っています。「水のグラスがテーブルに輪の跡を三分の二だけ残したので、ルシールは親指の爪でその円を閉じようとする」（222頁）。本当に円は閉じられたのでしょうか。僕にはそうは思えないのです。シルヴィとルースが渡った橋はもしかしたらフィンガーボーンと僕たちとのあいだに架けられていたのではないか。円環が閉じられる寸前に、シルヴィとルースはこちら側にやって来たのではないか。そんな夢想に駆られるのは、この素晴らしい小説を読んでもうしばらく経つのですが、あの心に深い悲しみを抱えた二人がいまもなお、僕のすぐそばに——心の内とも外ともつかないあわいに——立っているような気がしてならないからです。

『ハウスキーピング』篠森ゆりこ訳、河出書房新社

13 悲しみと喜びをむすぶ

前回取り上げたマリリン・ロビンソンの『ハウスキーピング』には次のような場面があります。妹のルシールが家を出ていったあと、語り手のルースは叔母のシルヴィと二人だけで生活することになります。シルヴィは渡り労働者の習慣が抜けず、性格も少しエキセントリックです。心配したフィンガーボーンの町の婦人たちは、二人の家をたびたび訪問するようになります。


婦人たちはなおも続けた。「ルースには――若い女の子には、普通の暮らしが必要だと感じている人たちが――私たちの中に――いましてね」

「あの子はたくさんの試練や悲しみに遭ってきましたでしょ」そう、確かにたくさん。それは絶対の真実だ。気の毒。そのとおり。

「本当に、大丈夫ですから」とシルヴィは答えた。

ぼそぼそとつぶやく声が聞こえた。誰かが言った。「あの子、とても悲しそうですよ」

するとシルヴィは答えた。「ええ、悲しいでしょうね」

沈黙。

シルヴィは「悲しくて当然です」と言ってから、笑った。「当然とは言いませんけど、でもほら、そうならない人がいますか」

またしても沈黙。

（189頁）

シルヴィはシルヴィなりにいまや二人きりになった家族を必死で守ろうとしていることがわかります。「家族は一緒にいなくちゃいけません」と彼女は言います。婦人たちにもシルヴィの言いたいことはわからないわけではないようです。

声が聞こえなくなってしばらくたち、ようやく誰かが口を開いた。「家族は悲しいものです。本当に」すると別の誰かが言った。「私は十六年前の六月に娘を亡くしたんです。いまでも顔が目の前に浮かびます」それから別の誰かが言った。「家族のそばにいられても、それはそれでつらいっていうのに、もし失ったりしたら――」この世はどっちを向いても試練の連続。本当にそうだ。

（190頁）

家族は悲しい。しかし悲しみは家族のなかだけに限られるのではありません。家族を持たない者たちの悲しみもまたフィンガーボーンの町に溢れていることをルースは気づいています。この町には渡り労働者たちがよく姿を見せます。彼らと、定住して暮らす者たちとのあいだには見えない壁があります。「彼らは私たちに聞こえるところではめったに口をきかなかったし、直接こちらを見ることもなかったけれど、私たちのほうは顔をそっと盗み見た。その顔は、古い写真の中の人々みたいだった」（183頁）。写真のなかにあるのはつねに過去のイメージです――同じ場所にありながら両者はちがう時間を生きているのかもしれません。しかし両者をつなぐものがあります。

もしあの人たちに話しかけられたら、と私たちは想像した。きっと災いや恥辱や耐えがたい悲しみの物語に驚かされるだろうし、それは高台に飛んでいって黒ずんだ土や鳥の声の中にとどまるだろう。こういう純粋な悲しみとなると、自分と他者の悲しみの区別ができなくなるものだから。その悲しみとは、一人一人が家から追い出されるはめになることだ。いつもフィンガーボーンは追いやられた人々とともにあった。

（183頁）

悲しみというものは必ず誰かの悲しみであるはずです。なのに自分の悲しみと他人の悲しみの区別がつかなくなるとはどういうことでしょうか。あなたとわたしの悲しみが交換可能だということではないはずです。ルース自身も周囲から「悲しそう」と形容され、実際に悲しみを抱えた少女です。そのことは語り手である彼女の静謐《せいひつ》な言葉から始終にじみ出ています。ここで注目したいのは、他者も自分も悲しみを抱え持つということが前提とされていることです。誰も悲しみからは逃れられない。しかしだからこそ、その悲しみを通じて自他はつながることができる。ちょうど大雨によって小さな湖がつながっていき、大きなひとつの湖をかたちづくるように。そうやってできたのが厳しい美しさを持ち、光り輝きながら深い闇を抱えたフィンガーボーンの湖なのかもしれません。

このフィンガーボーンという町が、追放の悲しみを持った人たちを決して排除しない土地であることにも目を向けたいと思います。フィンガーボーンは一人ひとりの悲しみとともにあるのです。そしてもしも純粋な悲しみを抱えたあの渡り労働者たちの顔を、彼ら・彼女らが自分のほうを見なくても、ルースをはじめとするフィンガーボーンの「私たち」のほうは見てしまうことからも明らかなように、悲しみは他者への関心を生み出し、他者の苦しい境遇をたとえ漠然とでも想像する方向へと僕たちを誘うのです（実際、ルースがやっているのはそういうことです）。

✿ ✿ ✿

そのような悲しみの働きについて、一匹のでんでん虫の話——おそらくは新美南吉《にいみなんきち》の「でんでん虫のかなしみ」——を通して、幼いころに気づいていた日本人の女性がいました。

そのでんでん虫は、ある日突然、自分の背中の殻に、悲しみが一杯つまっていることに気付き、友達を訪《たず》ね、もう生きていけないのではないか、と自分の背負っている不幸を話します。友達のでんでん虫は、それはあなただけではない、私の背中の殻にも、悲しみは一杯つまっている、と答えます。小さなでんでん虫は、別の友達、又別の友達と訪ねて行き、同じことを話すのですが、どの友達からも返って来る答は同じでした。そして、でんでん虫はやっと、悲しみは誰でも持っているのだ、ということに気付きます。自分だけではないのだ。私は、私の悲しみをこらえていかなければならない。この話は、このでんでん虫が、もうなげくのをやめたところで終わっています。

（14～15頁）

そのときは小さなでんでん虫が嘆くのをやめたと知って、「ああよかった」と思った彼女でしたが、成長するにつれて、この話が何度も「思いがけない時に」記憶に甦ってきたというのです。

殻一杯になる程の悲しみということと、ある日突然そのことに気付き、もう生きていけないと思ったでんでん虫の不安とが、私の記憶に刻みこまれていたのでしょう。少し大きくなると、はじめて聞いた時のように、「ああよかった」だけでは済まされなくなりました。生きていくということは、楽なことではないのだという、何とはない不安を感じることもありました。それでも、私は、この話が決して嫌いではありませんでした。

（15～16頁）

これは「子供の本を通しての平和」という主題で行なわれた国際大会に彼女が寄せた講演録から引用したものです。「児童文学と平和」が具体的にどう結びつくのでしょうか。そのことについて、彼女は自分の子供時代の読書経験を通して考えようとします。子供のときに読んだ何冊かの本によって自分という人間の考え方、感じ方の「芽」が形成されたという実感があるからです。彼女の子供時代には戦争があり、疎開生活も経験します。たしかに周囲の人たちに護られ、比較的平穏な環境だったかもしれない。しかし子供なりに、

「時に周囲との関係に不安を覚えたり、なかなか折り合いのつかない自分自身との関係に、疲れてしまったりしていたこと」もあったと述べたあと、彼女はこう続けます。「そのような時、何冊かの本が身近にあったことが、どんなに自分を楽しませ、励まし、個々の問題を解かないまでも、自分を歩き続けさせてくれたか」（13頁）。彼女にとって、読書がいかに大切な経験であったかがわかります。

しかし、その読書体験を語ることがどのように平和という主題と関わるのでしょうか。この講演録を読んで、すぐに気づくことがあります。幼いころに読んで、心を動かされた物語として彼女は五冊ほどの本を取り上げるのですが、そのどれもが基本的に「悲しみ」を伝えるものだということです。「でんでん虫のかなしみ」に続けて触れられるのは、父親が疎開先に持ってきてくれた日本の神話伝説の本です。なかでも「忘れられない話」として幼い彼女の記憶に刻まれたのが、「愛と犠牲」の物語——夫の皇子、倭建《やまとたけるの》御子《みこ》のためにみずからの命を捧げる后《きさき》、弟橘《おとたちばな》比売《ひめの》命《みこと》の逸話なのです。海の神の怒りを鎮めるために、犠牲となって海に沈んでいこうとする弟橘が詠んだ別れの歌を読んで、この生け贄《にえ》の物語がそれまで理解していたのとは少しちがうことに少女は気づきます。弟橘はかつて建とともに広い枯れ野を通っていたときに、敵の放った火によって焼き殺されそうになった経験があるのですが、そのとき建が示してくれた「優しい庇護《ひご》の気遣い」に対する感謝の念と建への深い愛が、その歌に読み取れたからです（「弟橘の言動には、何と表現したらよいか、建と任務を分かち合うような、どこか意志的なものが感じられ」（22頁）と彼女が少女時代の実感を回想するとき、そこに、この少女自身が成長したあと、夫とともに続けることになる他者への献身――そこにはつねに「意志的なものが感じられ」ます――の姿勢を重ね合わせたくなります……）。

「いけにえ」という酷《むご》い運命を、進んで自らに受け入れながら、恐らくはこれまでの人生で、最も愛と感謝に満たされた瞬間の思い出を歌っていることに、感銘という以上に、強い衝撃を受けました。はっきりとした言葉にならないまでも、愛と犠牲という二つのものが、私の中で最も近いものとして、むしろ一つのものとして感じられた、不思議な経験であったと思います。

この物語は、その美しさの故に私を深くひきつけましたが、同時に、説明のつかない不安感で威圧するものでもありました。（22頁）

次に彼女が言及するのは、「日本少国民文庫」の三冊――「日本名作選」一冊と「世界名作選」二冊――なのですが、そこに収められた数ある物語のなかで、とくに言葉を費やし、引用までして内容に触れているのは、やはり「悲しみ」に関わる物語なのです。ケストナーの「絶望」――「非常にかなしい詩でした」と彼女は言います。どんな言葉を引用しているのでしょうか――「彼の苦しみは、母の愛より大きかった／二人はしょんぼりと家に入っていった」。

さらにソログーブの「身体検査」――これも彼女は「悲しい物語」と形容しています。「何もいえないいんだからね。大きくなったら、こんなことどころじゃない。この世にはいろんな事があるからね」。

人がある本を読んで、どの部分を、どんな言葉を引用するかには、その人自身のありようが反映されます。第1回で紹介した、僕がもっとも敬愛する文学者クロード・ムシャールは、「引用もまた歓待のひとつのあり方だ」と言っています。それは他者の言葉を自分の言葉のうちに迎え入れることでもあるからです。

その観点から彼女の引用を見るとき、この人が他者の痛みや苦しみというものにきわめて敏感であることは明らかです。「本の中には、さまざまな悲しみが描かれており、私が、自分以外の人がどれほどに深くものを感じ、どれだけ多く傷ついているかを気づかされたのは、本を読むことによってでした」（37頁）と彼女は述懐しています。

自分とは比較にならぬ多くの苦しみ、悲しみを経ている子供達の存在を思いますと、私は、自分の恵まれ、保護されていた子供時代に、なお悲しみはあったと言うことを控えるべきかもしれません。しかしどのような生にも悲しみはあり、一人一人の子供の涙には、それなりの重さがあります。（37頁）

「それなりの重さ」とは曖昧です。しかし彼女が「それなりの重さ」だと考えているのは、きっと幼い自分自身の涙についてだけでしょう。他の子供に関してなら、この「それなりの重さ」がどれほど重たいものなのか、彼女は知っているからです。神谷美恵子を通じて、シモーヌ・ヴェイユも読んでいるにちがいない彼女は、きっとシモーヌ・ヴェイユのように、かりにひとりの子供が流す涙を代償として世界の調和が回復されると言われても、それを受け入れることはできないでしょう（だから、シモーヌ・ヴェイユは子供に一粒の涙も流させることなく、人類全体の幸福が可能になることを徹底的に考え抜いた人だと言えるかもしれません）。ひとりの子供の涙はそれほどまでに重い。そのことを知るために、人は本を読むのだと言ってもよいでしょう。そこに子供時代の読書と平和との関係が見てとれます。他者の悲しみに気づくこと。他者の痛みを、苦しみを、わがことのように感じる――自他の悲しみがひとつになる――こと。そのような他者への想像力なくしては、そもそも平和などありえません。子供は本を読むことによって、そこに描かれた悲しみに触れることによって、自分のなかにある悲しみに気づくと同時に、自分とはちがう時代と場所に生きる無数の子供たちの悲しみに思いを寄せ、心を開くことができます。

でもそれだけではまだ足りません。他者の悲しみを知り、それを感じられるようになることは大事です。けれど、平和ということを思い描くためには、やはりその悲しみが減っていく方向に人を動かしていくものが必要です。悲しみは暗いものです。生きるためには、僕たちには光が必要なのです。その光とは何でしょうか。生きる喜びです。

悲しみに深く打ちひしがれているとき、その人の心はいっぱいに詰まった悲しみに重くふさがれ、他者の悲しみを受け止めるだけの余白を持ちません。心を内側から押し広げて、他者を受け入れる余白を作ってくれるもの。それが喜びであると思うのです。だからこそ、彼女は読書から感じ取った「悲しみ」について触れたあと、本から得た「喜び」について語るのです。

たしかに、世の中にさまざまな悲しみのあることを知ることは、時に私の心を重くし、暗く沈ませました。しかし子供は不思議なバランスのとり方をするもので、こうして少しずつ、本の中で世の中の悲しみにふれていったと同じ頃、私は同じく本の中に、大きな喜びも見出していっていたのです。この喜びは、心がいきいきと躍動し、生きていることへの感謝が湧き上がって来るような、快い感覚とでも表現したらよいでしょうか。（28〜29頁）

本を読んでいるときに僕たちが得るあの喜びはどこから生じるのでしょうか。僕自身は素晴らしい本は、それを読む者一人ひとりのための居場所を作ってくれると感じています。そういうふうに自分を受け入れてくれる場所があると感じられる本が、その人にとって素晴らしい本なのでしょう。「心がいきいきと躍動」できるのは、やはりそこに自分を迎え入れてくれる広がりがあるからではないでしょうか。

❁ ❁ ❁

悲しみを教えてくれた「世界名作選」のなかで、とりわけ「心の躍る喜び」を与えてくれた歌として、彼女が引用するのが、アメリカの国民的詩人と言ってもよいロバート・フロストの「牧場《まきば》」なのです（フロストについては、岩波文庫に川本皓嗣《こうじ》が編纂し翻訳した素晴らしい『対訳 フロスト詩集』が収められています）。そして「この詩のどこに、喜びの源があるのか、私に十分説明することは出来ません」と言いつつも、詩のなかに出てくる「牧場」

「泉」「落葉」「水が澄む」といった言葉が「どれも快い想像をおこさせる」からではないかと考察します。彼女がとりわけ惹きつけられるのが、二連の詩のそれぞれの最後に置かれ、繰り返される同一の表現です。I sha'n't be gone long. — You come too.（川本の訳では「そう長くはかからない。——君も来ないか。」となっています）。これを読んで、「バーモントの詩人が、頁の中から呼びかけてきているよう」（31頁）に感じるのです。「牧場」とは視線を優しく誘う広々とした広がりです。このとき、呼びかけに応じて、彼女は「牧場」のなかに入っていく。そこは、母さん牛とそのそばにいる子牛、その子牛を連れ戻しに行く詩人だけに開かれているのではなく、この詩を読む彼女のための場所にもなっています。だからこそ心が開放されてポジティブなものに向かって伸びていきます。この広々とした場所のなかで、読み手である彼女が出会うのは、その広がりを与えてくれた書き手自身の喜びなのです——「本の中で、過去現在の作家の創作の源となった喜びに触れることは、読む者に生きる喜びを与え、失意の時に生きようとする希望を取り戻させ、再び飛翔する翼をととのえさせます」（37頁）。

本は——詩や物語は、それを読む者を受け入れる場所を作ります。でもどうしてそんなことが起こるのでしょうか。彼女の言葉にはそのヒントがあります。

まず本というものは無からは生まれません。本が本当の意味で「本」になるためには、多くの人の手が介在しています。それを書いた人がいるのはもちろんです。しかしそれを編集し世に届ける人たちが必要です。

戦争中に、「日本名作選」はともかく、「世界名作選」を編集することの苦労を彼女は想像します。当時はすでに英語は敵国語であったのです。本のことを語る講演で、作者とはちがう「作り手」のことに思いを寄せるところに彼女の想像力の繊細さがあります。

世界情勢の不安定であった一九三〇年代、四〇年代に、子供達のために、広く世界の文学を読ませたいと願った編集者があったことは、当時これらの本を手にすることの出来た日本の子供達にとり、幸いなことでした。この本を作った人々は、子供達が、まず美しいものにふれ、又、人間の悲しみ喜びに深く触れつつ、さまざまに物を思って過ごしてほしいと願ってくれたのでしょう。（33頁）

彼女が読んだ本の編者は『路傍の石』を書いた小説家でもあった山本有三ですが、ここで彼女が「この本を作った人々」と複数形で語っていることに注目したいと思います。続けて彼女はこう言います。

当時私はまだ幼く、こうした編集者の願いを、どれだけ十分に受けとめていたかは分かりません。しかし、少なくとも、国が戦っていたあの暗い日々のさ中に、これらの本は国境による区別なく、人々の生きる姿そのものを私にかいま見させ、自分とは異なる環境下にある人々に対する想像を引き起こしてくれました。（33頁）

言葉とは裏腹に、彼女が編集者たちの「願い」をしっかりと受けとめていたことは明白です。なぜならその「願い」とは、子供たちが国境による区別なく、人間は同じように苦しみ、悲しみ、喜び、笑うということを、そうした人々と自分の生きる環境のちがいを理解しながらも、想像できるようになることだったはずだからです。そして、このような「願い」は、まさに「平和への願い」と言うほかありません。おそらく彼女は、彼女の読んだ本のなかにあった、この「平和への願い」を受けとめ、さまざまな本を読むことで、その「芽」を伸ばしていったのでしょう。

なぜ人は本を読まなければならないのでしょうか。彼女は言います――「悲しみの多いこの世を子供が生き続けるためには、悲しみに耐える心が養われると共に、喜びを敏感に感じとる心、又、喜びに向かって伸びようとする心が養われることが大切だと思います」（37〜38頁）。この一文の構造にはとても興味深いものがあります。「悲しみ」という語が二度現われ、それとバランスを取るように「喜び」という語も二度現われます。喜びだけを追い求めるのではなく、悲しみも知ること。悲しみにただ沈み込むばかりでなく、喜びで自分を満たすこと。そうやって喜びと悲しみがせめぎ合う、いや、むしろともにある場所、それが「心」――三度使われています――なのであり、そのような複雑さを受けとめて生きること。本を読むことの目的は端的に表現されています。「生き続けるため」です。

この講演の冒頭で彼女はこう言っています。

> 生まれて以来、人は自分と周囲との間に、一つ一つ橋をかけ、人とも、物ともつながりを深め、それを自分の世界として生きています。この橋がかからなかったり、かけても橋としての機能を果たさなかったり、時として橋をかける意志を失った時、人は孤立し、平和を失います。この橋は外に向かうだけでなく、内にも向かい、自分と自分自身との間にも絶えずかけ続けられ、本当の自分を発見し、自己の確立をうながしていくように思います。
> （12～13頁）

生きるということが、このようにして世界と、そして自分自身とのあいだに橋をかけることであるならば、彼女はそう明言してはいませんが、本を読むことは、まさにこの橋を支える柱を建てていくことであると思います。

たしかに、悲しいとき、苦しいとき、本が——言葉が、物語が、つまりは文学が——自分に寄り添い、自分を支えてくれていると感じられるときがあります。

どうしてそんなふうに感じられるのでしょうか。それは本が、文学の言葉が、先に述べたように、それに触れる僕たちに場所を与えてくれるからです。本は何も見返りを求めず僕たちに「与える」のです。そうやって僕たちの存在をまるごと受け入れてくれます。そして僕たちを受け入れながら、そのとき本は僕たちの心が発している声に耳を傾けてくれてもいるのです。これこそまさに「歓待」というものではないでしょうか。

その意味では、この講演——書籍化にあたっては『橋をかける』というタイトルがついています——を書いた女性ほど、文学的な人はいないでしょう。本を、小説や詩をたくさん読み、自身も和歌を詠むから文学的だと言いたいのではありません。災害や病気によって悲しみや苦しみにある人々、社会や歴史の周縁に追いやられ、不可視にされてきた人々に注意を傾け、可能な限り一人ひとりにまっすぐ向き合いながら、その声に耳を澄ますということに献身的に取り組んできた、そしてそのようにして悲しみを抱えた人たちと僕たちのあいだをつなぐ橋になろうとしてきたその生き方を文学的と呼ぶほかないのです——なぜなら、そうしたことこそ、文学と呼ばれるものが行なってきたし、少なくともやるべき責務のひとつとしてきたからです。本を読まなくても、このような文学的な生き方をしている人はたくさんいます――もちろん彼女ほどの重圧を受けながら、という人はいないでしょうけれど。しかし彼女のように読書を愛する人が、いま述べた意味できわめて文学的であるという事実は、文学の価値を信じる者たちにとっては、大いなる励ましです。

本を読むとは、本から聞こえてくる声を聞くことです。でもそれだけではありません。同時に僕たちは、心の声を本に聞いてもらっているのです。その僕たち自身の声を聞き取った上で、本は僕たちに語りかけてきます。そうやって僕たちは初めて自分の声に気づくのです――自分でも知らないまま心が発していた声に。本から聞こえてくる声には、それを読むあなたの声も交じっています。

だから、世界と「私」とのあいだ、「私」と「私」自身とのあいだにかけられる橋の上で、あなたはひとりではありません。文学の言葉に触れるとは、そのことに気づくことでもあります。あなたのものであり、決してあなただけのものではない喜びと悲しみに寄り添われながら、あなたは歩き続けるのです。

美智子『橋をかける』文春文庫

14 愛情と配慮の流れが淀むとき

レイラ・スリマニ『ヌヌ 完璧なベビーシッター』

フランスで二〇一六年に刊行されたレイラ・スリマニの『ヌヌ 完璧なベビーシッター』は、刊行直後から話題となり、フランスでもっとも重要な文学賞とされるゴンクール賞を受賞するばかりか、英訳がニューヨーク・タイムズの書評欄で大きく取り上げられるなど、国際的にも大きな反響を呼びました。

ページを開くと、冒頭から衝撃的な光景が——

赤ん坊は死んだ。ほんの数秒で事足りた。医師は、赤ん坊は苦しむことなく死んだと言った。おもちゃに囲まれて漂っていた、手足のだらんとした体はグレーの収納袋の中に横たえられ、ファスナーが閉められた。幼い少女のほうは救急隊が駆けつけたとき、まだ生きていた。（11頁）

この「赤ん坊は死んだ」という冒頭に、世界文学におけるもっとも有名な書き出しのひとつのこだまが聞こえてくると感じるのは、スリマニがフランスの植民地（保護領）であったモロッコ出身だからでしょうか。「きょう、ママンが死んだ」で始まる『異邦人』を書いたアルベール・カミュは、モロッコの隣国でやはりフランスの植民地であったアルジェリア出身でした。『異邦人』は不条理な殺人についての物語です。主人公のムルソーはアラブ人の男性を殺します。理由は？　太陽がまぶしかったから？　では、この『ヌヌ』で起きた殺人事件の犯人は、どうして小さな子供たちの命を奪わなければならなかったのでしょうか？

少し話が逸れますが、ベストセラーになるような話題作というのは、読んでいなくてもどのようなストーリーなのかがどこかしら耳に入ってくるものです。この『ヌヌ』についても事情は同じで、子供たちを殺害した犯人が誰なのか、多くの読者には読む前からわかっています。日本語版では、裏表紙のあらすじ紹介に誰が犯人なのか端的に書かれていますが、フランス語の原書の裏表紙の紹介では、かなり曖昧な書き方になっています。子供を預ける若い夫妻とヌヌ——ベビーシッターに相当するフランス語です——との「相互依存の罠が少しずつ狭まり、ついには悲劇が生じる」とあります。そうは言っても、さまざまなメディアでこの本は取り上げられましたから、本を開く前から、ルイーズという名のヌヌが犯人なのだと知っていた読者はフランスにも多かったと思います。ただし、やはり誰が犯人かわからないまま読むほうが、緊迫感が増してくる書き方になっているように感じられます。一冊の本を読むとは、つねにそれを取り巻く言葉を読むことでもあるのかもしれません。

さて、これから見ていくように、この小説の力点は「誰が」殺したかよりも、「なぜ」殺したのか、なぜこのような悲劇が起こるに至ったのかに置かれています。

＊＊＊

スリマニの書き方は実にたくみです。小説の最終セクションで、殺された子供たちの家族と同じアパルトマンに暮らしていた年老いた女性の元音楽教師が、現場に駆けつけた警部に「ヌヌです、ヌヌが子どもたちを殺しました」と叫ぶまで、犯人が誰なのかはっきりと名指されることはないのです。

この小説には、二人の主人公がいると言えます。ひとりはもちろん「ヌヌ」。熟練のベビーシッターである彼女は、ルイーズという名の中年のフランス人女性です。そしてもうひとりが、パリ一〇区のアパルトマンに夫のポールと子供たち（ミラとアダムの姉弟）と一緒に暮らす弁護士のミリアム。小説のほとんどは、この二人の視点から語られます。

ミリアムの夫のポールは、音楽関係の録音技師です。家事に非協力的ではないのですが、子供の育児の大半を担うのはミリアムです。弁護士資格を取得して、研修期間に妊娠して長女を産んだミリアムにとっては、「母」になることは社会との断絶に感じられます。子供を持つ喜びが薄れていき、育児が苦痛にしか思えなくなります（ストレスからスーパーで万引きすらしてしまいます）。「いつかあの子たちに生殺しにされる」。

子どもたちとふざけ合い、スーパーマーケットで見知らぬ人と偶然に交わす短い会話以外、何も話すことがない自分に、死ぬほど恥ずかしさを感じていた。（中略）ことさら、残酷になりうる女性たちには警戒した。ミリアムのことを賞賛するふりをする女たち、さらにひどいことに、ミリアムをうらやましがる女たちは、首を絞めてやりたいと思った。こうした女性たちが仕事の不満を言ったり子どもたちにあまり会えないとぼやくのを聞いたりすることに耐えられなくなっていたのだ。そして何よりも、初めて言葉を交わす相手を恐れた。どんな仕事をしていたのかと無邪気に訊いてくる人々、主婦としての生活を思い起こさせるような話題をふってくる人々を。

（19〜20頁）

ミリアムは育児のつらさを夫に語りますが、子供の成長がそばで見られていいじゃないかと能天気な言葉が返ってくるばかりです。ミリアムが偶然、大学時代の同級生パスカルに再会し、彼の法律事務所で働くよう誘われて、その決意を固めたときも、ポールは「仕事したいと思っていたなんて知らなかったよ」と言って、ミリアムを激怒させます（リベラルな家庭に育った彼のような人でも、子育ては女性がするものだという先入観にとらわれています）。しかし二人は話し合い、ミリアムがフルタイムで働けるようにと、経済的な負担は増えますが、ヌヌを雇うことにします。パリではなかなか保育園や託児所に空きが見つからないからです。

ミリアムがベビーシッターの紹介所を訪れたときのことです。彼女を見た瞬間、紹介所の女性は当然のように言い放ちます。「登録ですか？　書類はそろっていますかね。履歴書、かつての雇い主たちのサインのある紹介状も必要ですけど」（24頁）。

そもそもフランスでは、ベビーシッターの仕事を探しているのはどのような女性たちなのでしょうか。紹介所で見せられるヌヌたちのカタログに載っているのは、「アフリカ、フィリピン出身の女性たち」です。実際、この小説の後半では、さまざまな国からやって来たヌヌたちが、世話をする子供たちを連れて公園に集まり、たがいに交流する様子が描かれていますが、彼女たちの大半がそうした地域の出身です。

ここでミリアムが、ヌヌの仕事を必要とする女性に間違われていることは重要です。つまりミリアムの出自が移民系であることがほのめかされているのです。じじつ、夫のポールとともに、ヌヌの候補者たちと面談をする際、ミリアムはこう考えます。「子どもたちの世話を自分と同じマグレブ人女性に任せるつもりはない」(28頁)。マグレブとは、アフリカ北西部の、アルジェリア、チュニジア、モロッコなどフランスの支配を受けた国々が含まれる地域のことですが、ミリアムの両親(あるいはもっと前の世代かもしれません)はこの地域からの移民なのでしょう。

ミリアムとポールが選んだのが、ヌヌとして長年の経験を持つルイーズです。ルイーズはひとり暮らしの女性で、夫に先立たれ、ひとり娘のステファニーはすでに家を出ています。ミリアムとポールは一目でルイーズのことが気に入ります。

ポールもミリアムも、ルイーズに魅了された。すべすべした顔、誠実さのにじむ笑み、震えることのない唇。冷静で取り乱すことのない人に見えた。どんなことにも耳を傾け、ありとあらゆることを許せる女性特有のまなざし。暗い深淵が潜んでいるとは想像もつかない穏やかな海を思わせる顔。(29頁)

ここで「暗い深淵が潜んでいるとは想像もつかない」という形容句を、スリマニが付していることは見逃せません。小説はたくみな筆致でこの「暗い深淵」を明らかにしていくからです。

子供たちはたちまちルイーズになつきます。魔法にでもかけられたかのように聞き分けがよくなります。ルイーズが得意なのは子供の世話だけではありません。室内の整理整頓にも余念がなく、家の隅々までピカピカに掃除してくれます。料理の腕前も完璧です。子供たちは出されたものを残さず食べるようになります。ミリアムとポールが仕事を終えて帰宅すると、絶品の夕食が待っているのです。ミリアムが育児のために諦めていた社交的な生活も取り戻されます。友人たちを家に招き、会話を楽しむことができます。

この「完璧なヌヌ」が家にいるおかげで、ミリアムとポールは安心して仕事に没頭できるようになります。二人はキャリアを充実させていきます。このような幸運を家庭にもたらしてくれたルイーズにどう感謝すればよいのか。ある日、友人たちを家に招いて開いたパーティー(ルイーズはやはり素晴らしい料理を用意し、招待客らに絶賛されます)で、酔ったポールは唐突に、ルイーズをバカンスに連れて行こう、と言い出します。最初は夫の言葉を疑うミリアムですが、翌朝ポールが本気だとわかると、喜びの声を上げます。「それってどういうことかわかる？　初めてほんもののバカンスになるのよ。ルイーズものすごく喜ぶわ。彼女にとっても、これ以上のことってないはずよ」（76頁）。

❁ ❁ ❁

夏になると人々が長期のバカンスを取る国というイメージを、フランスにお持ちの方も多いでしょう。家族で、友人同士で、地方や海外に旅行に出かける。しかし当然ですが、誰もがそう簡単に海外に旅行に出かけられるわけではありません。

いまやミリアムとポール夫妻に、ヌヌをバカンスに連れて行けるだけの経済的な余裕があることがわかります。またルイーズの生活がミリアムたちに依存していることも示唆されています。ミリアムが移民系の出自の女性であり、ルイーズがフランス人（白人）女性であること、そしてその二人の経済的な立場が、まったく不均衡であることは注目すべきでしょう。ここで明らかになっているのは、移民（ミリアム）が勉強に励んで社会的・経済的な成功を遂げ、その成功を支える家庭内労働に従事しているのが、白人のフランス人女性（ルイーズ）であるという構造です。

先にも触れたように、ヌヌや家政婦などの仕事に従事するのは基本的には移民系の女性労働者です。ひと昔前であれば、白人女性が移民系の家庭でヌヌとして働くなど想像できないことだったでしょう。ルイーズが、ワファというヌヌを除けば、公園で出会う移民系のヌヌたちと交わろうとしないのは、ルイーズの性格のせいだけではない気がします。ミリアムがルイーズの立場であってもおかしくないし、ルイーズがミリアムの立場であってもまったく不思議ではない。むしろそれが普通の時代のほうが長かった。そのことをミリアムは強く自覚しているように思えます。だからこそ彼女はルイーズを前にしてどこか居心地の悪さを感じてしまうのかもしれません。

ミリアムはルイーズによくプレゼントをする。メトロの構内にあるような、安い店で売っているイヤリング。唯一、ミリアムが知っているルイーズの好物、オレンジ風味のパウンドケーキ。侮辱されたように感じるのではないかと長いことあげるのをためらっていた、着古した服。ルイーズの気持ちを傷つけないように、嫉妬心や苦痛をかき立てないように、細心の注意を払いつつ。新しい服や靴を買ったときには、自分自身のものでも子どもたちのものでも、いったん古い布袋に突っこんでおいて、ルイーズが帰ってから開封するようにしている。（69頁）

このようにミリアムは、異様にルイーズに対して気を遣っています。それゆえに二人の関係が決して対等ではないことが強く伝わってきます。ただミリアムの気配りには、明らかに雇用主、優越的地位にある者が、自分より下の者に対して示す憐憫が混じっています。だからこそ、この配慮は労働時間内に限定され、ミリアムはルイーズがヌヌの仕事を終えたあと、どのような生活を送っているのかまったく知りませんし、興味もありません。

この小説がルイーズの視点から語られる部分で明らかにする彼女の人生は、不幸なものです。ミリアムたちが、パリの一〇区という庶民的なところもあって若い世代に人気のあるお洒落な界隈に暮らしているのに対して、ルイーズが借りて暮らすのは、パリ郊外の「ひと間だけのアパルトマン」です。郊外といっても日本語の「郊外」が想像させるような閑静な住宅地ではなく、貧しい移民が多数を占める場所です。「この界隈の唯一のカフェは酔っぱらいたちのたまり場で午後三時にはすでにいっぱいになり、空き地の金網のうしろで殴り合いが始まることもある」（１００頁）。そんなところなのです。年老いた守銭奴の大家はルイーズに言います。「この地区で家を借りる白人がいるなんて、まったく思いもよらないことでしたよ」（１７３頁）。アパルトマンはボロボロで、いずれシャワーも壊れて、台所の流しで髪や体を洗わなくてはいけなくなるでしょう。しかもルイーズは、亡夫が残した借金の返済にも苦しめられることになるでしょう。

そんな彼女にとってパリは憧れの街です。「彼女の目にパリの街は巨大なショーウィンドーのように映る。オペラ座界隈を散歩し、ロワイヤル通りを下り、サン・トノレ通りを歩くのがとりわけ好きだ。街行く人々やショーウィンドーを観察しながら、ゆっくりと歩を進める。ルイーズはすべてが欲しい。スエードのブーツ、バックスキンのジャケット、ニシキヘビのバッグ、ラップワンピース、ステッチの入った腰丈のジャケット。シルクのブラウス、カシミアのピンク色のカーディガン、シームレスのストッキング、ミリタリージャケット」（100頁）。ご存知のようにサン・トノレ通りは、高級店が軒を連ねるパリでも屈指のお洒落な通りです。まるで子供のように素敵なものに目を輝かせるルイーズ。どれもこれも欲しいということは、そのすべてに手が届かないことを示しています。次々と列挙される贅沢品は、彼女の貧しさと満たされなさの大きさを物語っています。

そんな暗くみじめな暮らしを送るルイーズにとって、雇い主の家族に連れて行ってもらったギリシアの島で過ごしたバカンスは夢のような体験です。彼女の日常を取り巻く風景とはまったく別の世界が彼女を迎え入れます。高台にあるペンションにルイーズはミリアムらと宿泊しますが、興奮のあまり寝つけません。

自分の部屋から突きだしているテラスに腰かけると、そこからは丸みを帯びた湾が眺められる。夜更けになると風が吹き始めた。海の風は潮の香りと理想郷の趣をはらんでいる。ルイーズはデッキチェアに横たわり、毛布がわりにするには薄すぎるショールを掛けたまま寝こんでしまった。ひんやりした空気で目覚めたルイーズは、目の前に繰り広げられている夜明けの光景に思わず叫び声を上げそうになった。純粋で、素朴で、揺るぎない美しさ。ありとあらゆる人々の心に届く美しさ。（81頁）

ミリアムとポールに誘われてレストランで食事をし、子供たちを寝かしつけたあと、ほろ酔い加減でテラスに三人で座るとき、ルイーズは至福に包まれます。そしてこの幸福を失いたくないと切に願わずにはいられません。

ふたりを引きとめたい、ふたりにしがみつきたい、石の地面を爪で引っかきたい。オルゴール台のうえで笑顔のままかたまっているダンサーのように、ルイーズはふたりを円錐形のカバーの中に閉じこめてしまいたい。飽きることなく、何時間でも眺めていられるだろう。ふたりが生きている様子を見ているだけでも満足だ。すべてが完璧にいくように、この構造に支障が起きないように、自分は日陰で仕事さえできればいい。ルイーズの心に熱烈で悲痛な確信が生まれた。自分の幸せはポールとミリアムのふたりがいてこそ成り立つのだと。ルイーズはふたりのもので、ふたりは自分のものなのだと。（91頁）

これを読んで、「あれ？」と感じた人は多いかもしれません。ちょっと不気味だな、と。欲しいものに執着し、親の愛情を独占することを願う子供みたいな衝動にルイーズは駆られているように見えます。

そうなのです。この子供っぽさが、ルイーズという人間の本質にはあります。ルイーズが子供たちをなつかせることができるのは、大人として子供の扱いを知悉《ちしつ》しているからというより、むしろ子供になりきって、いわば自分もひとりの子供として、幼い子供たちと一緒に遊ぶことができるからなのです。

ルイーズの本気で遊べる能力には感心させられる。子どもだけが持ち合わせている「万能感」に突き動かされているかのように遊ぶのだ。
（55頁）

世話をする二人の子供たち、ミラとアダムとかくれんぼするときもルイーズは真剣そのものです。ヌヌが消えてしまった不安からミラが泣きじゃくっても姿を現わそうとしません。小柄で、「少女のような体型」（139頁）のルイーズは洗濯物のカゴのなかに隠れ、ミラに見つかっても出てこようとしません。負けを認めたくないのです。ミラはカゴの上に座って勝ち誇ります。

するとと突然、ルイーズが荒々しく立ちあがったものだから、その拍子にミラは床に投げだされ、シャワーキャビネットのタイルに頭をぶつけてしまった。頭がくらくらして泣き始めたものの、復活して勝ち誇ったように自分を見おろすルイーズを見て、ミラの恐怖はヒステリックな喜びに変わった。よちよち歩きでバスルームにやってきたアダムも、ヌヌとミラがふたりで体を揺らしながらふざけているのを見て、息を詰まらせるほどくっくっと笑った。（58頁）

ここには同じ喜びに、同じ笑いに体を揺らす三人の子供がいます。そこにいるのは、大人のルイーズではなく、子供のルイーズです。ハプニングのあとの融和。とても微笑ましい風景のように見えます。しかしなぜか気味が悪いのです。無意識のうちに冒頭の場面に連れ戻されるからでしょうか。子供たちが殺されるのは、この同じバスルームです。そのときミラは青いタンスに「頭をぶつける」でしょうし、アダムは水のなかに沈められて、取り返しのつかないほど「息を詰まらせる」ことになるでしょう。

水をはった風呂のあるバスルームが殺害現場となるのは示唆的です。この小説では水が出てくる場面がとても印象的なのです。ルイーズは物語を次々と話して聞かせて子供たちを魅了しますが、そこに出てくる登場人物たちはいつも「孤児、道に迷った少女、牢屋に入れられたプリンセス」(42頁)です。小説の語り手は問います。「それにしてもルイーズは、世のためでもないのに最後にはやさしい人たちが死んでしまうような残酷な話を、どんな黒い湖、奥深い森に探しにいくのだろう」(42頁)と。

この「黒い湖」は、彼女のなかに潜む「暗い深淵」であり、ルイーズ自身の子供時代の記憶に結びつくものです。その記憶が、海の水に包まれているときに不意に甦ります。

ルイーズは、子どもの頃住んでいた村の端っこにあった池にはまり込んだ同級生を思いだしていた。大きな泥の水たまりで胸の悪くなるような臭いがした。両親から禁止され、淀んだ水に引き寄せられて、蚊がたくさん集まってきていたにもかかわらず、子どもたちはここに遊びにきたのだった。エーゲ海の碧い海に身を浸していながら、ルイーズは黒ずんで臭いあの水を、泥だらけになって発見されたあの子どものことを考えていた。ふと気づくと、目の前でミラが立ち泳ぎをしていた。ミラは軽々と水に浮いていた。(86頁)

このギリシアの島での海水浴の場面は、非常に重要だと思われます。ルイーズの子供性がくり返し強調されているからです。浜辺で一緒に泳ごうとせがむミラを、ルイーズは思わず突き飛ばします。なぜ？　ルイーズは泳げないのです。それを知ったミラが言います——「ルイーズは赤ちゃんみたい、泳げないんだって」（82頁）。ポールは親切にもルイーズに泳ぎを教えることにします。そのために店で浮き輪を買います。ルイーズの肘に浮き輪をくぐらせたとき、彼は思わず驚きの声をあげます。「ほんとに細いね、子ども用の浮き輪がぴったりだ！」（83頁）と。そうして水泳のレッスンを始め、初めて彼女の顔をちゃんと見ます。ルイーズの顔は「生まれたてのヒヨコのように産毛で覆われて」います。「しかし彼女にはどこか貞淑で子どもっぽいところがあって、ポールに欲望を起こさせない慎みを備えている」（85頁）。

❁ ❁ ❁

バカンスからパリに戻ってからは、ルイーズの行動の異様さが次第に目につくようになっていきます。そして小説は時間を巻き戻すようにして、ルイーズの過去を少しずつ明らかにしていきます。彼女の亡くなった夫ジャックは、クレーマー的な言動が顕著な不誠実な恨みがましい人で、彼女に借金を残します。ひとり娘のステファニーは、ヌヌとしてよその子供にばかりかまう母ルイーズとのあいだに距離があり、高校を退学して家を出ていき、連絡は途絶えたままです。ルイーズ自身も若いときに年老いた女性の介護の仕事をした際に、女性の息子で雇用主でもある画家からひどいモラルハラスメントを受けていたことが明らかになります。

ある日、ルイーズはミラに化粧を施します。マニキュアを塗り、口紅を塗り、アイシャドーを引き、チークをはたき、髪を逆立てさせます。しかしミラはまだ幼い少女なのです。帰宅してわが子の姿を見た瞬間、ポールは激怒します。「吐き気を催した。下劣で不健全なショーにでも紛れこんでしまった気がした」。「ブルーのトンボのように愛らしい彼の天使、ミラが、縁日の動物のように醜くなっている。ヒステリックな老婆が散歩用の洋服を着せた犬と同じくらい滑稽な姿だ」(119頁)。ポールは厳しい口調で激しくルイーズを叱責します。しかしルイーズは「うつむきもせず、謝りもしない」(120頁)のです。

さらに、ミリアムとポールが子供たちを連れて、ポールの両親の暮らす山荘を訪れていた一週間のあいだ、ルイーズはなんと無断で二人のアパルトマンで暮らすのです。想像すると、かなり怖いものがあります。そしてベビーシッター仲間のワファを、アパルトマンに招き入れます。ワファが料理を作ってくれます。

ルイーズは生まれて初めて、ソファーに腰かけて誰かが自分のために料理をこしらえてくれるのを見ていた。幼い頃でさえ、こんなことをしてもらった覚えはない。誰かが自分のために、自分を喜ばせるためだけに料理をしている姿など、記憶にない。子どもの頃、ルイーズは他の人が残したものを食べていた。朝はぬるいスープを与えられていた。何日も温め直し、最後の一滴まで飲み干すスープ。皿のへりについて固まっている脂、酸っぱい味のするトマト、すでにしゃぶられた骨まで、全部、食べさせられた。（157〜158頁）

読むだけでつらい記憶です。ここで、ルイーズは子供のころを思い出すだけではなく、まさに子供に戻っています。ギリシアでのバカンスで撮られた、ルイーズが子供たちと写った写真にワファが気づくと、ルイーズはこの旅行について滔々《とうとう》と語り出します。次の年のバカンスにポールとミリアムにまたギリシアの島に連れて行ってもらったら、「明日、私は飛行機には乗りません。ここで生きていきます」（159頁）と宣言し、フランスには戻らず、島にそのまま居残るつもりだなどと言い出すのです。

実に子供じみた計画です。そしてルイーズは、ミリアムとポールがそのような彼女の夢に驚き、不安になり、彼女に対して——馬鹿なことを口にする子供に対して親がするように――道理を説こうとするところを想像します。もちろんルイーズは意志を曲げるつもりはありません。さらに夢想を続けます。「「あるいは、何も言わない。突然、姿をくらますの、こんなふうに」そう言ってルイーズは指をぱちんと鳴らしてみせた」（160頁）――つまり、失踪する、というわけです。それは彼女の子供、娘のステファニーが彼女に対してしたことでもあります……。

雇い主のアパルトマンでくつろぐルイーズとワファ。その様子はこう描写されます――「ふたりはグラスを掲げて乾杯した。まるで、冗談を言い合い、秘密を告白し合ったことで結束した同級生のようだ。おとなしかいない世界に迷いこんだふたりの子どものようだ」（160〜161頁）。そして、興味深いのは、ルイーズの夢物語のような計画を聞いたワファが「その島で誰かと出会うかもね。あんたに恋に落ちる、ギリシャ人のいい男に」と言ったときのルイーズの答えです。

「そんなのイヤよ」ルイーズは否定した。「私が島に行きたいのは、もう、誰の面倒も見たくないから。寝たいときに寝て、食べたいものを食べるためよ」（161頁）

すべては幼い子供――とりわけ赤ん坊――になら許されることで、おそらく子供のとき以来、彼女から奪われてきたものです。彼女はこれから奪い返そうというのでしょうか。ここには、ふたたび子供に戻りたい――いや彼女の場合は、生まれて初めて愛情に包まれた子供になりたい、という欲望が表明されています。

ここからの物語の展開は驚くべきものです。「完璧なヌヌ」であったはずのルイーズの言動のうちに、「強迫観念」的で「度を超した」ものにしか見えない異常なものがはっきりと表われるようになります。それがミリアムの不安を増大させていきます。浪費を何よりも嫌悪するルイーズは、ミリアムがゴミ箱に捨てた鶏のガラを使って、「すでにしゃぶられた骨まで、全部、食べさせられた」自らの過去を想起させるような不気味な行為を行なうことになるでしょう（怖いですよ）。

雇い主であるミリアムとポール夫妻はなるべくルイーズから距離を取ろうとするようになります。アパルトマンの空気は重苦しいものになり、ミリアムはルイーズを解雇したいとさえ願うようになります。ルイーズもそれに気づいています。しかしそれだけは絶対に避けなくてはなりません。「彼女の望みはひとつ。彼らと一緒に暮らしたい、あの家に住みたい」（215頁）というものだからです。どうすればそれが可能なのか？

ルイーズはとんでもないことを思いつきます。もしもミリアムとポールのあいだにもうひとり赤ん坊が生まれれば、夫婦はまたヌヌが必要になるはずです。「三人子どもがいたら、私なしではやっていけないわ」（212頁）と仲間のワファに語って有頂天になるルイーズの心は、夏のバカンスに向かいます。なるほど、新しい子供の誕生はヌヌとしてのルイーズに新たな仕事を与えるでしょう。しかしルイーズにとって、どうもそれは単に生活手段としての意味しか持たない仕事ではないようです。

ルイーズが、子供の誕生とギリシアでのバカンスを結びつけているのは示唆的です。先に見たように、ギリシアの島は彼女にとって、誰の面倒も見ずに好き勝手に暮らせる、それこそ自分の欲望のままにふるまう子供のように生きることが許される絶対的な自由の場だからです。「そこには包み隠すことなど何もない」（213頁）のです。

しかし、そのような無限の可能性に開かれた島で海に身を浸しているとき、ルイーズが思い出したのが、暗い池で死んだひとりの子供の記憶だったように、新しい子供の誕生の夢想には、死のイメージがつきまとっています。ルイーズはミリアムに子供が生まれるよう、つまりミリアムとポールの二人が性的な行為を営みやすい環境を作ろうと策略を練り、幼いミラにさらに弟と妹がほしいと母親にねだるように仕向けます。しかし当然ですが、母と父にその意思がなければすべて徒労です。

ある日、ミラは母親に、ルイーズが目を輝かせている前で、ママのお腹の中には赤ちゃんがいるのかと訊いた。

「いないわよ、むしろ死んでるわ」ミリアムは笑いながら答えた。(211~212頁)

いまや新たな子供の誕生が強迫観念となったルイーズは、アパルトマンの隅々にその痕跡を探します。「ゴミ箱を探るまでもなく、ルイーズは何ひとつ見逃さなかった。ミリアムが寝ている側のベッドのしたに投げ捨てられたパジャマについている赤い染みひとつに至るまで」(213頁)。しかし彼女が望む徴候はどこにも見つかりません。むしろ反対のことを示す徴候が毎月訪れます。

ミリアムの生理はやむことなく訪れた。ルイーズはこのにおいをかぎわけ、血を見分けた。ミリアムがルイーズに隠すことのできないこの血は、毎月、子どもの死を意味していた。(214頁)

新しい子供の誕生はルイーズにとって危険な妄想と化します。「これまでルイーズは、これほどまでに何かを欲しいと思ったことはなかった。この願いが叶えられるものならば、彼女と彼女の欲望を満たすための障害になるものすべてを封じこめ、燃やし、消滅させることもできるほど、痛みを覚えるほど切望していた」(230〜231頁)。新しい子供が「誕生」するためには、その代償として誰かの「死」が必要だと考えるようになるまで、ルイーズは精神的に追い詰められていきます。

でも彼女が心の底から切望しているのは、本当に新しく生まれる子供なのでしょうか? その子が生まれてくれれば、世話をしなければならないのはルイーズです。彼女はもう「誰の面倒も見たくない」のでは? 「寝たいときに寝て、食べたいものを食べる」。でもそれが許されるのは赤ん坊であって、彼女ではないでしょう。彼女の子供との関係は矛盾をはらんでいます。たしかに彼女は子供の面倒を見るのが好きです。しかしそれはただ純粋に子供が好きだからというより、子供と一緒にいることで彼女自身が子供に戻れるからです。自分が一度もそうだったことのない、深い愛情に包まれた子供になれるからです。

ルイーズに、彼女だけに、彼女ひとりだけに向けられている何かを子どもたちのしぐさの中に感じとれる瞬間が好きだ。頭がくらくらするまで子どもたちの無邪気さと興奮をむさぼっていたい。子どもたちが生まれて初めて何かを見るとき、何かを理解するとき、ルイーズは子どもたちの視線で一緒になって発見したい。あらかじめ考えることもせず、いずれは飽きてしまうという現実も忘れて、子どもたちと同じように、

これが永遠に繰り返されると望んでいたい。（241頁）

ルイーズはここで子供たちに愛情を注ぐと同時に、子供たちと一体化することで、その愛情を受け取っています。子供たちの喜びは彼女の喜びになっています。両者のあいだにあるはずの境界は消失しています。ルイーズは子供になりたいのです。だから彼女が望んでいる「新しく生まれてくる赤ん坊」とは、彼女自身なのでしょう。その誕生を邪魔立てするものをルイーズは破壊しなければなりません。しかし、もしもその障壁が子供たちにほかならないとしたら、そして子供たちを消滅させることで彼女の望みが成就するのだとしたら、その瞬間まさに彼女は子供なのですから、彼女自身の命もまた奪われなければならないでしょう。

周知のように、人間という種の子供は絶対にひとりでは生きられません。幼子が生きるとは、周囲から配慮と愛情を注がれる、つまり世界に歓待されるということです。そのような歓待を受けられないまま大人になり、みずからは他者を歓待することを余儀なくされる人たちがたくさんいます。

歓待とは相互的なものであるはずです。与えられた経験があるからこそ、人に与えたいと思うものでしょう。かりにその交換があなたとわたしのあいだになされなくても、わたしからあなたへ、あなたから別の人へ、その人からまた別の人へと、配慮と愛情はたえず環流し続けなければなりません。しかし悲しいことに、その流れが遮られ、暗く深い淀みが生じることがある。そこにいやおうなく引き寄せられてしまう者の悲劇をスリマニは描いたのかもしれません。

『ヌヌ 完璧なベビーシッター』松本百合子訳、集英社文庫

15「わたし」は「わたし」のものなのか？

村田沙耶香『コンビニ人間』

前回の『ヌヌ』のなかで、子供たちの面倒から雇い主の家の家事に至るまで完璧にこなすベビーシッターのルイーズは、仲間のワファに向かって、心のうちをこう吐露していました。「私が島に行きたいのは、もう、誰の面倒も見たくないから。寝たいときに寝て、食べたいものを食べるためよ」（161頁）。

興味深いことに、スリマニと同世代の日本の女性作家が書いたミリオンセラー小説のなかでも、主人公の女性のアパートに転がり込んだ無気力な男性が、このルイーズの言葉に呼応するような——しかし自分を泊めてくれる女性に対してひどい暴言混じりの——言葉を発しています。

「あんたの子宮だってね、ムラのものなんですよ。使い物にならないから見向きもされないだけだ。ぼくは一生何もしたくない。一生、死ぬまで、誰にも干渉されずにただだ息をしていたい。それだけを望んでいるんだ」

（１０９頁）

前者、ルイーズの言葉には、周囲から愛情と配慮を注がれる子供になりたいという欲望が感じられました。そこにはわがままな子供の姿が見えなくもありません。島に行きたいと言っても、そこは社会から隔絶された孤島ではありません。一方、後者、日本の男性のほうは、社会からの視線やケアをいっさい拒否しているように見えます。

彼の発言の最初の二文が示すのは、個人の意志を踏みにじる社会の姿です。子供を産むという選択は「あんた」から奪われています。それを決めるのはムラ＝社会です。そしてムラを存続させる機能を果たしえない人間は役立たずとして排除される……。彼はそのように個人を迫害する社会とはかかわりたくない。というか、排除されるより先に自分のほうから拒絶している。しかし「何もしたくない」「望んでいるんだ」という彼の叫びには、どうせ叶わぬことだとすでに諦めているような響きもあります。「ただ息をする」というのは人間にできるミニマムな行為でしょう。逆を言えば、それ以外のすべてが奪われているということです。この「何もしたくない」男性の存在は、意志も性的欲望も感じられないという意味で、植物的というか、とても中性的なものに感じられます。

そしてこの困った男性に「寄生」される女性もまた、とても不思議な「人間」なのです

——その三〇代のコンビニ店員の女性を主人公とする小説が、村田沙耶香の『コンビニ人間』です。

この作品が日本のみならず、英語に翻訳されて国際的なベストセラーになったのは、みなさんもご存知だと思います。それはそこに、このグローバル化した世界において、おそらく地域や文化のちがいを超えて共通する「人間」のあり方の原型が描かれていたからではないでしょうか。冒頭からして魅力的です。

コンビニエンスストアは、音で満ちている。客が入ってくるチャイムの音に、店内を流れる有線放送で新商品を宣伝するアイドルの声。店員の掛け声に、バーコードをスキャンする音。かごに物を入れる音、パンの袋が握られる音に、店内を歩き回るヒールの音。全てが混ざり合い、「コンビニの音」になって、私の鼓膜《こまく》にずっと触れている。

（7頁）

僕たちにこれほどなじみ深い光景はないでしょう。むろんコンビニのない地域もあるでしょう（僕の田舎もそうです）。しかしたまにしか利用しないにせよ、その前をただ通りすぎるだけにせよ、現代の日本に生きていて「コンビニ」をまったく知らないでいることは不可能です。そしてコンビニを利用したことのある人なら、「コンビニの音」と表現すべきものがたしかに存在すると感じるはずです。ここでこの音に触れているのは、古倉《ふるくら》恵子という三六歳の独身女性です。大学生のときにコンビニでアルバイトを始め、以来ずっと一八年間コンビニでバイトを続けています。

彼女自身はコンビニで働き続けていることに何の違和感もありません。しかし周囲はちがいます。ユカリという友達が彼女に訊いてきます。

「恵子は、まだ結婚とかしてないの?」

「うん、してないよ」

「え、じゃあまさか、今もバイト?」

私は少し考えた。この年齢の人間がきちんとした就職も結婚もしていないのはおかしなことだということは、私も妹に説明されて知っている。それでも事実を知っているミホたちの前で誤魔化《ごまか》すのも憚《はばか》られて、私は頷いた。

「うん、実はそうなんだ」

私の返答に、ユカリは戸惑った表情を浮かべた。急いで、言葉を付け加える。

「あんまり身体が強くないから、今もバイトなんだー!」

私は地元の友達と会うときには、少し持病があって身体が弱いからアルバイトをしていることになっている。アルバイト先では、親が病気がちで介護があるからだということにしていた。二種類の言い訳は妹が考えてくれた。

二十代前半のころは、フリーターなど珍しいものではなかったので特に言い訳は必要がなかったが、就職か結婚という形でほとんどが、社会と接続していき、今では両方ともしていないのは私しかいない。（40〜41頁）

恵子の観察はまったく正しい、と感じる読者は多いはずです。そしてミホやユカリの反応について、それももっともだと僕たちが感じるとしたら、僕たち自身もまたこうした仕事と結婚にまつわる言説に日々触れてきたからではないでしょうか。この種の言説の根底にあるのは、アルバイトやフリーターという労働形態は生きていくなかで一時的に経験することはあっても、最終的にはそうした状態を離れ、就職したり結婚したりするのが「普通」であるという社会通念です。「鶏が先か卵が先か」みたいな話になりますが、それが社会通念なのは、恵子の友人たちがそうであるように圧倒的大多数の人たちが、「就職か結婚」によって「社会と接続」する人生を送っているからでしょう。

そして言うまでもありませんが、この場合の「就職」とは「きちんとした就職」、つまり正規雇用されることです。「結婚」とは「異性婚」のことであり(「同性婚」は含まれていない)、そこでは生殖行為によって生まれた子供を育てることが前提とされています。それが、社会との正しい、あるべき接続の仕方だとミホやユカリは思い込んでいます。しかしそれは、人間と社会との「接続」に関する数多くある物語のひとつでしかないはずです。なのに、それがいわば標準装備として人々に押しつけられるのです。僕たちが忘れがちなそのような事実を恵子という存在は際立たせます。

興味深いのは、「三〇代の女性が就職も結婚もしていないのはおかしい」と世の中が思っていることを恵子が自覚していることです。ただ、彼女自身にはそれが「おかしい」という実感はありません。けれど世の中が自分を「おかしい」と認識していることはちゃんと理解しているのです。

❁ ❁ ❁

大雑把なもの言いでよくないのですが、「社会と個人の関係」は、近代文学の大きな主題のひとつでした。社会や共同体や古い世代が課してくる規範や掟、常識に対して、個人が感じる苦悩や葛藤、あるいは社会に対する個人の反抗を、近代小説は描いてきたように思います。ところが恵子には苦悩や葛藤はまったく感じられない。反抗するつもりもまったくありません。人格にトゲトゲやゴツゴツがないというか、なんだかのっぺりしているのです。

彼女には自分が社会通念からはずれた存在だという自覚があります。それは三〇代になってから気づいたことではなく、子供のころからそうだったのです。小鳥が死んでいるのを見つけた幼い恵子は、それを母親のところに持っていきます。母親は娘が小さな生き物の死を悲しんでいるのだと思います。ところが娘は「これ、食べよう」と言って母親をぎょっとさせます。

「小鳥さんはね、お墓をつくって埋めてあげよう。ほら、皆も泣いてるよ。お友達が死んじゃって寂しいね。ね、かわいそうでしょう?」

「なんで?　せっかく死んでるのに」

私の疑問に、母は絶句した。

私は、父と母とまだ小さい妹が、喜んで小鳥を食べているところしか想像できなかった。父は焼き鳥が好きだし、私と妹は唐揚げが大好きだ。公園にはいっぱいいるから たくさんとってかえればいいのに、何で食べないで埋めてしまうのか、私にはわからなかった。

（13頁）

むむむ、たしかに、と思った人も多いはずです。子供の自然な反応に思えます。でもちょっと極端かなあ、と……。さらにこういうことが起こります。彼女が小学校に上がったころです。男子が取っ組み合いの喧嘩を始めます。

「誰か止めて！」

悲鳴があがり、そうか、止めるのか、と思った私は、そばにあった用具入れをあけ、中にあったスコップを取り出して暴れる男子のところに走って行き、その頭を殴った。周囲は絶叫に包まれ、男子は頭を押さえてその場にすっ転んだ。頭を押さえたまま動きが止まったのを見て、もう一人の男子の活動も止めようと思い、そちらにもスコップを振り上げると、

「恵子ちゃん、やめて！　やめて！」

と女の子たちが泣きながら叫んだ。

走ってきて、惨状を見た先生たちは仰天《ぎょうてん》し、私に説明を求めた。

「止めろと言われたから、一番早そうな方法で止めました」

（14〜15頁）

僕はこの場面を読んで吹き出してしまったのですが（殴られた男の子、ごめんなさい）、たしかに恵子の思考と行動はきわめて論理的です。ここで彼女は、求められている結果に最短で到達する方法を選択しています。

この恵子のふるまいは子供っぽいというよりは、どこかロボット的です。実際、先ほどの社会との「接続」とか、ここでの「男子の活動」という表現（「活動」という言葉を用いなくても成立する文脈です）から、どこか恵子のものの見方には、対象を観察する機械めいたものが感じられます。

恵子はまるで「人間」になることを学習しているAI、つまり人工知能のようです。でもそれを言えば、僕たちの誰もが幼いころはロボット的だったと言えるかもしれません。なぜなら僕たちもまた子供のころ、「小さな生き物が死んだら悲しむ」「お友達に暴力を振るわない」といったことを、大人から教えられたり周囲の反応を観察したりしながら学習し、身につけてきたはずだからです。

恵子の場合、彼女にとって「自然」な反応を示せば、それがつねに周囲に困惑や驚きをもたらします。そのことから彼女は自分が人とちがう、と気づきます。そこで彼女は、徹底的に社会的な通念に従うことを選択します。「父と母が悲しんだり、いろんな人に謝ったりしなくてはいけないのは本意ではないので、私は家の外では極力口を利かないことにした。皆の真似をするか、誰かの指示に従うか、どちらかにして、自ら動くのは一切やめた」(16頁)。目立つことなく生きていくために必要な所作を彼女に教えてくれるのは、「普通」の子供だった二つ年下の妹です。先の引用からも明らかなように、恵子に社会で何が「まとも」「普通」あるいは「正しい」とされているか教えてくれるのはこの妹です。

不思議なことに、恵子は自分のほうが正しいとは絶対に思わない。壊れているのは自分だと信じて疑わないのです。だからこそ、つねに「治らなくては」と考えている。そして「治る」とは、社会にきちんと適応して役立つ人間になることだと理解します。でも、どうすればいいのか。

そんな彼女にとって、コンビニとの出会い、つまりコンビニで働くことは、ほとんど天恵のような体験です。オフィス街に開店したばかりのコンビニのアルバイトに採用され、そこで研修を受けながら、彼女は大きな安堵を得ます。

私はバックルームで見せられた見本のビデオや、トレーナーの見せてくれるお手本の真似をするのが得意だった。今まで、誰も私に、「これが普通の表情で、声の出し方だよ」と教えてくれたことはなかった。(20頁)

そこでは働き方のルールが明確であるばかりか、表情や言葉遣い、そして行動の一つひとつに至るまですべてがマニュアルに沿って定められています。すべてはお客様のため（つまりは店の利益のため）という目的のために合理的に組織化され、無駄なものは省かれています。マニュアルに忠実にふるまうこと以外は何も求められていません。彼女にとって、これほどシンプルでクリアな世界はありません。コンビニで働くことによって、彼女は自分が世の中の求めている「普通」の人間になれると確信します。

「いらっしゃいませ！」
私はさっきと同じトーンで声をはりあげて会釈をし、かごを受け取った。
そのとき、私は、初めて、世界の部品になることができたのだった。私は、今、自分が生まれたと思った。世界の正常な部品としての私が、この日、確かに誕生したのだった。

（25頁）

生まれた？　何として？　人間として？　どうやらちがいます。

先日、お店は19回目の5月1日を迎え、あれから15万7800時間が経過した。私は

36歳になり、お店も、店員としての私も、18歳になった。あの日研修で一緒に学んだ店員は、もう一人も残っていない。店長も8人目だ。店の商品だって、あの日の物は一つも残っていない。けれど私は変わらず店員のままだ。

（25頁）


彼女はコンビニの「店員」としての新たな生を得たのです。つまり「コンビニ人間」となったのです。しかしこのコンビニ人間は、「世界の正常な部品」という表現や引用部の数字の羅列からも、どこか精密機械的な印象を与えます。先に少し触れたように、恐ろしく冷静で精緻な観察力もあります。たとえば、冒頭で言葉を引用した男性――三五歳の白羽さんというコンビニのアルバイト――を恵子はこのように観察しています。


コンビニで働いていると、そこで働いているということを見下されることが、よくある。興味深いので私は見下している人の顔を見るのが、わりと好きだった。あ、人間だという感じがするのだ。

自分が働いているのに、その職業を差別している人も、ちらほらいる。私はつい、白羽さんの顔を見てしまった。

何かを見下している人は、特に目の形が面白くなる。そこに、反論に対する怯えや警戒、もしくは、反発してくるなら受けてたってやるぞという好戦的な光が宿っている場合もあれば、無意識に見下しているときは、優越感の混ざった恍惚《こうこつ》とした快楽でできた液体に目玉が浸《ひた》り、膜が張っている場合もある。（69〜70頁）

彼女の目には、人間とは自己と他者を比較して、他者よりも自分が上だと確認して満足したい、そんな生き物として映っているのでしょう。観察される対象の思考や感情は、その身体の変化から分析されています。その身体の生々しさときたらどうでしょう。対象の「生物」らしさが強調されているだけに、逆に彼女のほうがより「機械」のように見えてきます。その印象は、恵子という人物が、僕たちが人間というものに――おそらくほとんど自動的に――結びつける「感情」をうまく理解できないという事実によっていっそう強くなります。

コンビニ店員の同僚たちが、無断欠勤をした他の店員について彼女の前で陰口を叩くときのことです。「えー、またバックレですかあ。今人手不足なのに、信じられない！」「そうそう。最悪だよねー」「前もって言ってくれないと、結局しわ寄せが他のバイトに来るだけじゃないですかー！」（33〜34頁）――といったやりとりを耳にしながら、彼女は思います。

二人が感情豊かに会話をしているのを聞いてると、少し焦《あせ》りが生まれる。私の身体の中に、怒りという感情はほとんどない。人が減って困ったなあと思うだけだ。私は菅原さんの表情を盗み見て、トレーニングのときにそうしたように、顔の同じ場所の筋肉を動かして喋ってみた。

「えー、またバックレですかあ。今人手不足なのに、信じられないです！」（34頁）

やはり、ここでも恵子の観察眼は正確無比です。人間という生き物が集団になったときに取りうる行動を冷静に分析しています。

同じことで怒ると、店員の皆がうれしそうな顔をすると気が付いたのは、アルバイトを始めてすぐのことだった。店長がムカつくとか、夜勤の誰それがサボってるとか、怒りが持ち上がったときに協調すると、不思議な連帯感が生まれて、皆が私の怒りを喜んでくれる。（34頁）

この「私の怒り」は、はたして本当に「私の」怒りなのでしょうか？　いいえ、これは他者の怒りを正確に模倣したものなのです。「腹が立つ」というように、怒りというのは僕たちの意志とは無関係に生じるものです。自分がいやなことをされたり、人が不当に貶《おとし》められたり辱《はずかし》められたりしているのを目にしたときに、腹の底や胸の奥からわっと湧き上がってくるものを、僕たちは「怒り」と呼ぶように思います。それはある意味で生理的な反応だと僕は思っていたのですが、実は怒りを含めた「感情」なるものは、周囲の人間のふるまいや表情や声音を模倣反復することで、後天的に身についたものなのではないか？

そうした模倣を、模倣しているという意識すらなくなるほど完全なものとすることで、人間は感情を持てるようになるのではないか？　かつて模倣していたという事実を僕たちは都合よく忘れて、感情は自然なものだと信じ込んで生きているだけなのかもしれない……。そんなことを恵子の観察は考えさせます。

泉さんと菅原さんの表情を見て、ああ、私は今、上手に「人間」ができているんだ、と安堵する。この安堵を、コンビニエンスストアという場所で、何度繰り返しただろうか。（34頁）

もちろん、彼女に感情がない、とまで言うと言いすぎになります。彼女の鋭い観察には身体的な反応が伴わないわけではないのです。

皆、変なものには土足で踏み入って、その原因を解明する権利があると思っている。私にはそれが迷惑だったし、傲慢《ごうまん》で鬱陶《うっとう》しかった。あんまり邪魔だと思うと、小学校のときのように、相手をスコップで殴って止めてしまいたくなるときがある。（61頁）

「相手をスコップで殴って止めてしまいたくなる」というのは、ひどく客観的な書き方ですが、「腹が立って殺したくなる」と表現することだってできたでしょう。ここで明らかに恵子は「怒り」を覚えています。しかし自分を突き動かしているものが、「怒り」という言葉で表現されうるものだとは気づいていないのです。

恵子にも感情はあります。ただその「感じ方」がズレているのです。彼女の目には、友人のミホの産んだ赤ん坊も、自分の甥っ子、妹の麻美の赤ん坊も、まったく同じに見えて、どうして甥のほうを大事に思わなければならないのか理解できません。「私にとっては野良猫のようなもので、少しの違いはあっても「赤ん坊」という種類の同じ動物にしか見えないのだった」（60頁）。さらに、泣きはじめた赤ん坊を慌ててあやそうとする妹を見て、ふと考えます。「テーブルの上の、ケーキを半分にする時に使った小さなナイフを見ながら、静かにさせるだけでいいならとても簡単なのに、大変だなあと思った」（61頁）。ここでの「静かにさせる」という表現が意味するところは、先ほどの喧嘩した男子についての引用にあった「止める」とほぼ同じでしょう。「殺す」という表現が使われていないのは、恵子の場合、たんに婉曲的なもの言いをするためではないように感じられます。「殺す」という表現が成立するためには、そこに奪うべき「命」があることを認めていなければなりません。そして「殺す」という言葉が重いのは、僕たちが「命」を大事なものだと考えているからでしょう。「静かにさせるだけでいいならとても簡単なのに」という表現は、その前提が共有されていないことを示しています。

✽ ✽ ✽

人とものの感じ方がちがう「変な人」だという自覚が恵子にはあります。では、どうすれば周囲の人間から普通の人だと思われるのか。簡単です。他人の視線を引き寄せなければよいのです。他人の目から不可視の存在になること。そうすれば不愉快な干渉を受けることはありません。それは、この小説のなかで恵子のところに転がり込むことになる白羽が何よりも望んでいることです。

「この世界は異物を認めない。僕はずっとそれに苦しんできたんだ」（89頁）と嘆く白羽は、無職で、未婚で、ストーカーまがいのことまでする男です。しかし彼は自分の人生がうまくいかないのは周囲の世界のせいだと考えています。「世界が不完全なせいで、僕は不当な扱いを受けている」（88頁）。彼にとって人間社会は「縄文時代」から何も変わっていません。「狩りをしない男に、子供を産まない女。現代社会だ、個人主義だといいながら、ムラに所属しようとしない人間は、干渉され、無理強いされ、最終的にはムラから追放されるんだ」（92頁）。しかしそうやって周囲の世界を呪詛《じゅそ》する白羽が、自分は結婚して、起業に成功して、周囲から文句を言われない人間になるのだとうそぶくのを聞いて、恵子はその論理の破綻に驚きます。「え、自分の人生に干渉してくる人たちを嫌っているのに、わざわざ、その人たちに文句を言われないために生き方を選択するんですか？」（91頁）。

そのような矛盾した白羽に対して、恵子が提示する解決策はシンプルです。

「コンビニに居続けるには『店員』になるしかないですよね。それは簡単なことです、制服を着てマニュアル通りに振る舞うこと。世界が縄文だというなら、縄文の中でもそうです。普通の人間という皮をかぶって、そのマニュアル通りに振る舞えばムラを追い出されることも、邪魔者扱いされることもない」

「何を言っているのかわからない」

「つまり、皆の中にある『普通の人間』という架空の生き物を演じるんです。あのコンビニエンスストアで、全員が『店員』という架空の生き物を演じているのと同じですよ」

「それが苦しいから、こんなに悩んでいるんだ」（95頁）

恵子のものの考え方はとてもロジカルです。変な人間、はみだし者だと思われたくなければ、そしてそのことでマジョリティから干渉を受けたくなければ、それに反抗して世界と戦うよりは、それに従っているふりをすればいい。しかし白羽はそれができないから苦悩するわけです。つまり自己愛や自己否定、自分を受け入れてくれない社会に対する怒りや反感、それを見返したいという自尊心など、激しく渦巻くさまざまな感情に苦しめられるのです。しかし恵子はちがいます。「白羽さんと違って、私はいろんなことがどうでもいいんです。特に自分の意思がないので、ムラの方針があるならそれに従うのも平気だというだけなので」（96頁）。感情さえなければ、かりに共同体のマジョリティの規範に違和感を覚えていたとしても、それに従うことには何の苦しみも伴わない、ということです。

本当でしょうか？　白羽を助けようと、食費を出すことを条件に恵子は彼を自分のアパートに受け入れます。恵子にとってはそれ以上でもそれ以下でもありません。しかし、

「三〇代の男女が二人で一緒に暮らしている」というその事実を知った周囲の人々は、恵子の妹の麻美も、コンビニの店長も同僚たちも、白羽のことを嫌っている彼の義理の妹（弟の妻）も、恵子の地元の友達連中も、二人の同居という事実に自分たちの常識にとってわかりやすい物語を見出さずにはいられません――二人は恋愛関係にあって同棲しているのだ、と。麻美は恵子に言います。

『お姉ちゃん、本当によかったね。ずっといろいろあって苦労してきたけど、全部わかってくれる人を見つけたんだね……！』

妹はなんだか勝手に話を作り上げて感動していた。わたしが「治った」と言わんばかりのその様子に、こんな簡単なことでいいならさっさと指示を出してくれれば遠回りせずに済んだのに、と思った。（100頁）

妹ですらこうなのです。同居を始めた二人に対して興味津々の周囲は――むろん善意からでしょうが――あれこれ余計なことを言い始めます。「皆の中で勝手に話が出来上がっているようで、私と白羽さんと名前だけが同じ登場人物の、私とは関係のない物語なのだった」（113頁）。周囲が勝手に作り上げる物語は自分とは無関係だと恵子は思います。しかしそれでは済まないのです。周囲はその物語どおりに登場人物――白羽と恵子――が動くことを望み、次々と干渉してきます。自分の意思を持たず、「指示」に従うことは、コンビニという職場ではもっとも効率的だったかもしれません。しかし世の中は必ずしも合理的かつ論理的な「指示」をしてくるとは限りません（当たり前ですね）。それに、いまや恵子はひとりで生きているわけではありません。白羽がいます。そして「社会不適合者が二人で、アルバイトのお金だけでやっていけるわけないですから、まじで」（１３７頁）と言ってくる義理の妹の干渉と圧力から逃れようと、白羽は断言します――「彼女にはバイトをすぐにやめてもらう。そして毎日職探しをしてもらう。もう決まったことなんだ」（１３８頁）。意思を持たない恵子は、白羽のこの決定に従わなければなりません。コンビニをやめる――そう思ったとき、彼女のなかに大きな変化が起きます。

　今までずっと耳の中で、コンビニが鳴っていたのだ。けれど、その音が今はしなかった。（１４０頁）

「コンビニの音」が恵子にとってどのような意味を持っていたかを思い出すべきでしょう。客が入ってくるときのチャイム音は、「教会の鐘の音」（36頁）として彼女の耳に響きました。不眠の夜にはコンビニのことを考えると、店内の音が鼓膜の内側に甦ってきて、安心して眠りにつくことができます。「朝になれば、また私は店員になり、世界の歯車になれる。そのことだけが、私を正常な人間にしているのだった」（27頁）。

コンビニの音に満たされることで、彼女は初めて自分が「正常な人間」であるという実感を得られます（面白いことに、コンビニに関わる人物たちは、ミホ、泉さん、菅原さん、佐々木さんと漢字表記されますが、コンビニの外の世界の住人たちは、ユカリ、サツキとカタカナ表記されます。このことは、コンビニのほうが彼女にとってよりリアルな現実であることを示していますﾞ）。そしてコンビニで働き出すことが、彼女の「正常な人間」としての「誕生」を意味していたとすれば、そこから切り離されることは彼女にとってどんな意味を持つでしょうか……。恵子はどうなるのでしょうか。ぜひ読んでください。

❁ ❁ ❁

『コンビニ人間』は素晴らしい小説です。「人間」とは何なのか。「正常」とは何なのか。僕たちが社会通念や常識として、とくに意識することもなく考えたり行なったりしていることは、本当に「当たり前」のことなのか。

恵子は自分には「意思」がないと認識しています。では僕たちは「自分はそうではない」

と言えるのでしょうか。自分の「意思」で行動しているつもりですが、それは本当に「自分の」意思なのでしょうか。その「意思」とは僕たちのものではなく、社会の、共同体の、ムラの、他者の意思なのではないでしょうか。

そもそも僕たちは「自分の言葉」で喋っているのでしょうか。僕たちは誰しも最初から言葉を持っているわけではありません。幼いころ、大人が話しかけてくる言葉、周囲から聞こえてくる言葉を模倣しながら、言語を獲得してきたはずです（そうじゃない人がいたら教えてください）。恵子はそのことにも自覚的です。

今の「私」を形成しているのはほとんど私のそばにいる人たちだ。三割は泉さん、三割は菅原さん、二割は店長、残りは半年前に辞めた佐々木さんや一年前までリーダーだった岡崎くんのような、過去のほかの人たちから吸収したもので構成されている。

特に喋り方に関しては身近な人のものが伝染していて、今は泉さんと菅原さんをミックスさせたものが私の喋り方になっている。

大抵のひとはそうなのではないかと、私は思っている。（中略）私の喋り方も、誰かに伝染しているのかもしれない。こうして伝染し合いながら、私たちは人間であることを保ち続けているのだと思う。

（30〜31頁）

この恵子の言葉に反論するのはむずかしいでしょう。人間という生物が複数で生きなければならない以上、他者から影響を受けないでいることは不可能です。僕たちの「私＝自我」は複数の他者から構成されていて、僕たちが「個性」と呼んでいるものは、とりあえず一人ひとりまったく異なるその配合の偏差でしかないのかもしれません。だから「生きる」の主語はつねに「私たち」なのです。

そして「生きる」とは結局、人生のさまざまな段階で、あるいは一日のうちでも状況に応じて、自分に割り振られる「役割」——子供、学生、恋人、妻、母親、夫、父親、会社員、病人、老人などなど数え上げれば切りがありませんが——を演じながら、総体として「普通の人間」という「架空の役割」を演じ続けることなのかもしれません。恵子にはたまたま演じられる役が「コンビニの店員」しかなかったというだけなのでしょう。

しかしそうやって実現される「コンビニ人間」は、まさに現代の人間の姿そのものではないでしょうか。いま僕たちが生きているのは、あらゆる人間が取り替え可能・使い捨て可能であるということが、身も蓋もなく露呈した世界です。恵子はたぶんそのことに自覚的です。彼女は機械のようだと僕は書きましたが、彼女は自分も含めた人間のことをはっきり「世界の部品」であると言っていました。そうした世界においては、「人間」

のサブジャンルのなかに「コンビニ人間」が位置づけられるのではなく、むしろ「人間」＝「コンビニ人間」なのではないかという気さえしてきます（この小説の英語のタイトルは *Convenience Store Woman* ですが、男女を問わず僕たちは「コンビニ人間」なのだと考えれば、*Homo Convenience* とでも訳すべきなのかもしれません）。

自分のものではないのは言葉だけではありません。自分の人生もまた、他者がそのつど押しつけてくる——そして気づかないうちに自分でもそれを望んでいる——物語を生きているだけではないのか。そう考えると怖くなります。

でも僕たちが、小説でも漫画でも映画でもよいですが、物語に触れるときのことを考えてください。そこには登場人物がいますよね。しかし当たり前ですが、僕たち読者・観客が登場人物たちの行動を制限したり左右したりすることはできません。僕たちの期待はしょっちゅう裏切られます。

また、僕たち自身が作り手になった場合を想像してください。実は物語の作り手だって、登場人物の言動を完全にコントロールできるわけではないのです。登場人物たちが勝手に動き出して、作者の計画や思惑を裏切ることはよくあることです（僕も曲がりなりにも小説家として、そうした経験をよくします）。

だから、かりに僕たちが誰かの物語のなかの登場人物なのだとしてもそんなに悲嘆する必要はないのかな、とも思うのです。かりに作り手（それは個人の場合もあれば、社会規範のような集合的なものの場合もあるでしょう）にとってわかりやすく都合のよい役割を演じることを求められているとしても、登場人物である僕たちは、なにも作者の意図や物語の求めるところの言いなりになる必要はないのです。探してください。大丈夫です。どこかに逃げ道はきっと見つかります。

『コンビニ人間』文春文庫

16 心の余白、風景の余白

瀬尾夏美『あわいゆくころ』

この本では、文学作品がどのように読む者を歓待してくれるかという観点から、主に小説作品を読んできました。第1回では、文学作品に描かれた「歓待」の場面に触れました。でもその後、歓待そのものを主題とする、つまり、ある人なり、ある人間の集団が、そこを訪れた者を歓待する様子を描いた作品にはほとんど触れてこなかった気がします。

ここでは、まさに「歓待」そのものが主題となっている本を取り上げたいのです。ひとりの若い女性が、ある土地を訪れます。そこは巨大な災厄に見舞われたばかりです。その土地に、そこで暮らす人たちに、彼女はどのように迎え入れられたのでしょうか。『あわいゆくころ』というその美しい本の中心をなす、ツイッターでつぶやかれた言葉を時系列に七年（！）分記録した、〈歩行録〉というパートの冒頭にはこう書かれています。

三月十一日

十四時四十六分
東日本大震災。

そして三月十三日から始まるツイートにはこう読めます。

上野駅いつもよりずっと人が少ない。取手行きの常磐線はいつもより混んでいる。みんな家に帰っていくんだ。私はポカポカと花粉症のなか、お茶の水に向かいます。私にできることをしに行きます。（27頁）

［引用者註：実際には、この文章はスマホの画面上で書かれ読まれたものだからか、多くの改行がなされています。その改行は、書き手の息づかいを視覚的に表現していて、とても重要なのですが、ここではスペースの都合もあり、以後〈歩行録〉からは改行しない形で引用します］

こう書きつけた（スマホの画面をフリックした、と言うほうが正確でしょうか？）著者は、「何ができるだろう」と自問する「いち美大の学生」です。

記録された最初のツイートは発災から二日後のものです。これはどういうことでしょうか。この空白、沈黙は、起きてしまったことに対する「私」の動揺の大きさを示しているようにも感じられます。三月三十日には、彼女——瀬尾夏美——は友人と一緒にレンタカーを借りて、ボランティア活動に参加するために被災地に向かいます。

地震と津波によって傷ついた土地と、そこに暮らす人々との出会い。彼女の心の揺れが、そのつどツイートによって記録されていきます。

SNS上で色々な意見があるように、実際に出会う方にもそれぞれの意見があります。たとえば、同じように家を失った方でも、外の人が被災地に来るのは迷惑だとおっしゃる方もいれば、反対に、来てくれてありがとうとおっしゃる方もいる。それぞれ違う人間だから、当たり前。私は、ここに来ることでやっと、そのことに気がつくのです。昨日話した陸前高田のおばちゃんに、また来てね、今度は泊まって行ってね。と言ってもらったから、私はまた来ます。（29～30頁）

被災地の人たちが、よその土地からやって来た人たちの善意——もちろん誰もが自分に「できること」をして、被災者のために役立ちたいと心から願っているはずです——をどのように受けとめるのかは、実際に行ってみなければわかりません。しかし彼女がツイッターのなかに書きとめる言葉からは、彼女が出会った人たちからやわらかく受けとめられていることが伝わってきます。随所にその歓待の仕草が記録され、輝いています。陸前高田を訪れたときのことです。

ぎりぎりで津波が引いていったというおばちゃんのお家で、今年なった梨をいただきました。おばちゃんはこのまちの人が作ったという写真集を見せてくれながら、半年前までのまちのことを話してくれた。（43頁）

それから福島第一原発の近くにある南相馬を訪れたときのことです。

私たちはお話を聞いていて、終始うまく返事ができませんでした。よく来たね、怖くないの？と聞かれて、怖いですと答えたら、つい一緒に笑ってしまった。また話を聞きに来ていいですかと言ったら、ありがとうね、と言ってくれた。また行こうと思いました。（二〇一一年九月二十八日）（50頁）

お客さんに食べ物や飲み物を差し出すことだけがむろん歓待なのではありません。陸前高田のおばちゃんは見ず知らずの彼女に写真を見せます。そこに写っている人々や風景といった自分の大切な記憶を来訪者に分かち与えているということです。南相馬では、恐怖や笑いが共有、いや分有されています。やわらかい連帯が生まれています。そしてそうした土地を訪れた彼女に向かって何よりも差し出されているのは、それぞれの人たちの言葉です。人々の言葉のなかに自分を受け入れてくれる空間が開かれていると感じられるからこそ、彼女はそこに引き寄せられる。またこの人たちに会いたい、この場所に戻ってきたいという気持ちになるのです。

しかし彼女にまた来てほしいと願っているのは、彼女と出会った人たちだけではないように思われます。個々の人間を超えたもっと大きなもの、あえて言えば土地そのものが彼女に呼びかけており、そのことを彼女は感じているようなのです。

震災の年に被災地を訪れたときのことです。瓦礫《がれき》が片付けられ、「家々の境界もなくなって、私にはただ広い平らな土地に見える」その場所で、何よりも彼女の心に迫ってくるのは、「さみしさ」です。「巨大な巨大なさみしさがその場所にある、と思う」(70頁)と彼女は書きます。

そのさみしさはとてもとても巨大で、その場所にいる人たちで抱えきれるものではないんじゃないかと思う。亡くなった人は声を発することはできないし、生き残った人たちは自分や相手の境遇の間で口をつぐんだりする。口に出せないさみしさは、その場所に染み付いているような感じがする。

何とかしてそのさみしさを、一緒に抱えるような勇気を、そのために必要な大きな想像力を持ちたいと思う。だから私は、その場所を訪れることをやめたくない。

（70～71頁）


とてもひとりでは抱えきれず、そうやって個々の人々から溢れ出る「さみしさ」で空っぽの土地が満たされている。それを土地は彼女に分け与えようとしてくれている。その場所に行かなければ、土地に染みついたその「さみしさ」に触れることすらできません。では、人々の「さみしさ」を、「さみしさ」そのものとなった土地をどのようにすれば受けとめることができるのか。それには「勇気」や「大きな想像力」が必要です。「見聞きしたことを覚えておくこと、なるべく丁寧に書き留めておくこと。いま、いまよりちょっと先、ずっと先にそれらを受け渡していく方法を考え続けること。これは、亡くなった人と生き残った人、これから生まれる人を繫ぐことだと思う」（71頁）。

見聞きしたことを記録すること。そのために彼女は、のちに映像作家となる親しい友人、小森はるかと一緒に、震災でもっとも大きな被害を受けた土地のひとつである陸前高田に移住するのです。

どうして陸前高田だったのでしょうか。震災から二年目の〈歩行録〉のあとに置かれた「うつくしさについて」という文章に、その理由が示されています。まず、そこが「さみしさ」をとりわけ色濃く感じさせる土地だったこと。そして、「このまちの風景がうつくしいと思ったこと」。この二つが決定的だったのです。「さみしさ」と「うつくしさ」が彼女の心を引き寄せます。人々の心のうちを「さみしさ」という凡庸《ぼんよう》な表現で語ることにためらいを感じる彼女です。「うつくしい」という言葉に内実を与える必要を感じたにちがいありません。絵を専攻していた彼女は、陸前高田の風景を絵に描き始めます。そのとき彼女自身の内実にも変化が生じます。それまで「浅はかな自分史を掘るように制作をしてきた」彼女は、自分の外に、「絶対的に描かれるべきもの」を見つけたと確信します。そして、その絵が自分の意志を超えた大きなものにつながっていることを感じ取ります。それが解放感をもたらします。「このまちで得た知識や思考はあまりに膨大すぎて、一枚の絵ではそのほんの一部しか表せないのだという諦めも、私を気楽にさせた」（126頁）。

彼女は友人とともに陸前高田に暮らすようになり、そこに設置された震災に関する記録を集めるアーカイブセンターで働くようになります。被災したまちの人たちに話を聞き、それを記録します。

語られる内容はあまりにきつい。波に呑まれていく肉親を見た。流されているさなかで愛妻の手を離してしまった。避難所で凍え、亡くなっていく人を助けられなかった。消防団として捜索に行った先で、知人らの遺体が絡まりあって硬直しているのを収容した。仮設店舗の従業員や学校の先生、祭りの準備をしているおじちゃんやお茶飲み話をするおばちゃんからそんな話が出てくる。当たり前のことだけれど、いまはふつうの身なりをして、せっせと日常生活を営んでいる人たちからそんな体験を聞くと、その人の身体が目の前に存在することの奇跡を強く肯定したいと思うと同時に、こんな話をさせてしまうことの罪悪を感じずにはいられなかった。しかし、インタビュー相手の多くは、「この体験は残さなきゃいけないから」と疑いもないように言い、カメラの前に座ってくれる。聞き手として私がいること、小森がカメラでそれを撮影することが、人の気持ちを動かし、語らせてしまう。（122～123頁）

このことに関して考えさせられることがあります。第二次世界大戦時のナチスによるユダヤ人の大量虐殺について、生き残ったユダヤ人たちは戦後多くの証言を残しました。しかしそのうちでいまも読まれ続けているものはごくわずかです。そのことについてフランスのアネット・ヴィヴィオルカという歴史学者が次のように論じているのを読んだことがあります。苛酷な出来事の生存者の証言が社会に共有され、受け継がれていくにはいくつかの条件があるというのです。

まず、その出来事に対する社会そのものの認識が変化しなければなりません。第二次世界大戦の終結からしばらくは、フランスではこの戦争はナチスに対する民主主義の勝利と受けとめられ、戦争の犠牲者はみな「ナチスの犠牲者」という大きなカテゴリーにくくられてしまいがちだったと言います。しかし、数多くのユダヤ人生存者が証言台に立ち、テレビを通じて全世界に報じられたアイヒマン裁判（一九六一年）や、フランス人もナチスに協力してユダヤ人迫害に加担していた事実が明らかにされることで、ユダヤ人の犠牲者への認識が変わっていきます。

もうひとつが、これは文学や芸術に関わることだと思うのですが、そうした苛酷な、それこそ想像を絶する体験をどのように語るのか、ということです。あまりにも無惨で痛ましい映像を目にしたときのことを考えてください。僕たちはとても直視できず、目をそむけてしまうでしょう。伝えなければならないことなのに、それを受けとめることができないのです。また、むごたらしい体験がむき出しの言葉で語られるとき、僕たちは思わず耳をふさいでしまいます。あるいは言葉が全然耳に入ってこない。想像を超える、筆舌に尽くしがたい現実がたしかにあります。それはまさにその言葉のとおりで、想像力や言葉を無力化してしまう。むき出しの現実が迫るばかりで、そこには人が想像力を働かせるための余地が、空間がまったくないのです。しかし他者の身に起きたことを理解するには、僕たちがまさにその他者とはちがう人間である以上、想像力を働かせることがどうしても必要なのです。サミュエル・ベケットの言葉を借りれば、まさに「想像力　死んだ　想像せよ」なのです。でなければ、生存者の体験は孤絶し、どこにも届くことのないまま失われてしまいます。そしてそのようなことをさせないための想像力、つねに他者へ伸ばされる手のごとき想像力がたしかに作動できるようなスペースを作るのが、文学や芸術の役割、いや文学や芸術の本質でしょう。

この本の語り手はそのことがわかっています。震災から三年目、彼女はこう呟きます。

出来事を、記録を、フィクションに引き上げること。そうすることでそれは媒介となり、対象と鑑賞者を対立関係ではなく、やわらかく繋ぐだろう。いまとても、フィク

ションが必要だと思う。（153頁）

では彼女はどのような方法を見出したのでしょうか。いくつかのツイートを見てみましょう。たとえば二〇一四年の最初のツイートです。

被災後の風景の変化はとても速い。それは必要な速さだと思いながら、この速さのなかで、ここにあったまちの風景とこれからの風景が断絶してしまう、そんなこともあるのだろうと感じるときがある。（153頁）

復興が始まり、巨大なベルトコンベアが設置され、山から削られてきた土砂が運び込まれ、嵩上げ工事が進行しています。「ここにあったまちの風景」はその大量の土の下に埋もれて、見えなくなっていきます。彼女は続けます。

忘れてしまうのが怖いと言って、被災したまちを歩き続けるおじちゃんの姿を思い出す。あのまちはなくなってしまったってみんな泣くけどさ、あのまちはちゃんとここにあるって、俺はわかるの。歩いているとさ、思い出すでしょ。ここに何があった、そこからこれくらい歩くとあのお店だったたって。それは変わってないんだよ。何がどう変わったたって、ここがあのまちだったことはさ。

（153～154頁）

お気づきのように、彼女の声のなかに別の声が現われています。それが彼女の声に取って代わって語り始めます。その声は、彼女に、そして僕たちに話しかけているように感じられます。その声を思い出しながら、それに応えるように、彼女自身の声が戻ってきます。

けれど、もし山や海や道の姿形があまりにも変化してしまった場合にも、その場所に立てばそこにあった風景を思い出す、ということは可能なのだろうか。もしくは、まちの風景の記憶が土地と切り離され、個人の中だけに成立するということはあるのだろうか。

（154頁）

そして日付が変わった次のツイートでは、この彼女の問いを引き取ることのない、別の声が聞こえてきます。

ほんとにすごい言葉ってのはさ、とても短くって簡単な単語を遣っていてね、誰にでもわかるものなんだと思うんだよ。きっと、詩のようなものだと俺は思うね。そんな言葉で話せる人、あんまりいないよね。　　　　　　　　　　　　（154頁）

これは誰の声なのでしょうか。おそらく前日のツイートのなかに出てきた「おじちゃん」でしょう。ただ前後の文脈からそうと想像されるだけで、決めつけることはできません。でも読んでいて、誰の言葉なのかあまり気になりません。

それにしても面白いのは、「そんな言葉で話せる人、あんまりいないよね」という彼自身や、他のツイートから声を響かせてくる人々がみな、それこそ「誰にでもわかる」「詩」のような言葉で喋っていると感じられることです。

＊＊＊

津波のあと、何もなくなった土地に住民たちが少しずつ花を持ち寄って「弔いの花畑」を作ります。しかし復興工事のため、その花畑の撤去が決まります。「おばちゃんたちはすこしさみしそうな顔で、今月末で立ち入り禁止となる花畑の一部に咲いた花を分けあっていた」（184頁）と彼女はつぶやきます。そして一呼吸置くようにスペースが生まれたあと、彼女の声ではない別の声が響いてきます。

でもね、私たちは復興の妨げになることはしないと最初から決めていて、役場にもそう伝えて、この場所を使わせてもらっていたの。この花畑がいつか消えるっていうことは、最初からわかっていたことだから。だからね、終わるときはそれでいいのよ。

（184頁）

あるいは、「五本松」と地元の人たちから呼ばれる巨石――この周りにあったのが「弔いの花畑」でした――が、嵩上げ工事のために地中に埋められることが決まり、そのお別れ会の盆踊りのときのことです。彼女は輪を作って踊る地域の人たちを見つめながら、つぶやきます。「その手つき顔つきが妙に色っぽくて、この人たちはいま、ここにいない人たちとともにいるのだなあと思った。土地が、あちらとこちらを結ぶ時間」（243頁）。

そしてツイートはこう続きます。

おばちゃんたちが作ってきてくれたご飯を囲みながら昔の写真を見る。一枚の集合写真を何十分もかけてみんなで見る。ああうちのお父さんだ。あれは私よ。さあこれは誰でしょう。あの人名前何ていうんだっけ。懐かしい懐かしい。涙出る。やだあ私も。

風に吹かれながら小さな灯篭に火を点ける。俺、どうしてもこれをやりたかったんだよ。みんなが協力するけどなかなか点かない。点けるなって言うのかよ、お前らのためにやりたいんだよお。

（243頁）

ここでは彼女の声に、本当に複数の声が混じっています。「涙出る」というのは、おばちゃんの声でしょう。しかし、さらに「点けるなって言うのかよ、お前らのためにやりたいんだよお」と、おじちゃんが明らかにそこにはいないけれどたしかにそこにいる死者たちに向かって語りかける声を聞くとき、「涙出る」という声は、これを読む僕自身の唇を震わす声にもなっています。

❁ ❁ ❁

このようにツイートをする彼女の歩みが進むにつれ（〈歩行録〉ですから）、とりわけ彼女が陸前高田という土地に暮らすようになってからは、彼女の声のなかに人々の声が混じる頻度が高くなっていきます。それは彼女と町の人々との交流の深まりを感じさせます。それらさまざまな声は、ときに彼女に語りかけ、ときに誰に聞かせるでもなくあの日のことを思い出し、後悔や迷いをつぶやき、ときにそれをそばで聞いている彼女（と読者の僕たち）などそこにいないかのようにたがいに語り合うのです。ツイッターを通じて書かれているものですから、おそらくプライバシーを守るためということもあるのでしょう、彼女の記述のなかに具体的な人の名前が出てくることはほとんどありません。「おばちゃん」「おじちゃん」「おばあちゃん」「おじいさん」が、いかにも自然に、あるいは唐突に、次々と現われては彼女の声の代わりに語り出すのです。具体的な名前はないのに、その語りにはたしかに血肉が感じられます。ときには、どこか昔話というか神話的な雰囲気すら帯びることもあります。

死者とともに生きていく。あれは呪いだな、とさみしそうに笑いながら。（256頁）

これは誰の声なのでしょうか。彼女の声のなかに混入してくる声は、陸前高田の住人のものだけではありません。震災から五年が過ぎようとする二〇一六年一月、小森はるかとともに、巡回展のため神戸を訪れた彼女は、一月十二日、「風景が引き裂かれて、それはまるでこころが壊されたようだった、とある人が言った。悲しみを見ないようにするために、風景を直そうとするのかと思う、と言う人もいた。復興工事は安全のためという建て前のほかに、傷を隠すという効果があるのかもしれない」とつぶやき、「二十一年の月日が経つ神戸の風景を、まずはゆっくりゆっくり、見ていきたい」（261～262頁）と決意を固めます。その翌日のツイートです。

二十年ってのはちょうどいいと思うて。震災から十年ではまだ語れへんかったけど、二十年経ったら語らなきゃって思うようになったな。二十年ってちょうど一世代やろ。神戸もいまは半分くらいは震災知らない人やから。伝えなって思うようになって、語って、やっと胸のつかえが和らいだ気がします。（262頁）

これは誰の声なのでしょうか。たぶんこの同じ声が翌日のツイートでも語り続けます。

誰にでも、それぞれの震災体験があっていいんだってことを、いま言いたいと思うね。震災は被災者だけの特権ではないんや。体験した人にしかわからんこともあるけど、それだけではないと思う。それにこころを寄せる人は、みんなで考えたらいい。（262頁）

この声はとても大切なことを語っているように思います。おそらくこの声の持ち主は神戸の震災の被災者でしょう。ある巨大な災厄が生じたとき、当事者ではない人間がそれについて語ることにはつねに大きな倫理的なためらいが生じます。体験者にしかわからないことがある。しかし「それだけではない」と当事者が言うのです。その「それだけではない」部分、つまり余白が、よその土地で生きる人間にそれぞれの「こころを寄せる」ことを許してくれる。そこに当事者ではない者たちを迎え入れてくれる。だから、大きな災厄について考えるとは、つねにその当事者とともに考えるというのでなければ、言葉の真の意味で「考える」ことにはならないのかもしれません。災厄について、他者の痛みについて考えるとき、主語はつねに複数でなければならないのです。

彼女は「こころ」についても興味深いことを言っています。

> こころはどこにあるのか。こころは、風景の中にもあったのではないか。かつての風景は消えてしまった。記録は、よすがになりえるか。（252頁）

「心のなかの風景」というように、僕たちは一人ひとりの心のなかに大切な風景があると思いがちです。しかしその風景のなかに僕たちはいる（あるいは、いた）のです。僕たちの心はその風景のなかにある。とすれば、風景のなかには、そこに生きた・生きている・

生きるであろう無数の人たちの心が含まれていることになります。そして僕たちの心のなかにそうした風景があるとしたら、同時に、その風景のなかで生きた・生きている・生きるであろう僕たち自身もまた、誰かの心のなかにある大切な風景の欠くべからざる一部になっているのです。だからこそ、わたしの風景は、あなたの風景です。

風景ばかりではなく、言葉についても同じことが言えます。彼女はこう書きます。

誰かと会話をすることで、頭の中にあったもやが、形を与えられて、外に現れてくるときがある。自分の口から発せられたその言葉が、初めて出会ったもののように感じられる。もしかしたら、その言葉は私のものではなく、私とその人のもの、なのかもしれないと思う。

（140〜141頁）

「もしかしたら」ではありません。そのとおりです。「その言葉」ではなく、すべて言葉は、私のものであり対話相手のものなのです。彼女のこの言葉に、「言葉は、半分は自分のもので、半分は聴く人のもの」というフランスの一六世紀の哲学者モンテーニュの言葉を僕は思い出さずにはいられません。震災から三年後の二〇一四年十二月、彼女はこうつぶやきます。

震災のすぐあと、新しい言葉を発明しなければ、としきりに考えていたことを思い出す。いまある言葉では表わせないことがたくさんあると思っていた。でも、もしかしたら必要だったのは、言葉を扱う技術の発明だったのかもしれない。（２０７頁）

もしかしたら彼女はツイッターを使って、そのような新しい言葉を、それが言いすぎなら、少なくとも新しい「言葉を扱う技術」を見出したのかもしれません。〈歩行録〉に収められた言葉を読むとき、そう感じます。それは自分の声で語りながら、ときにすっと身を引き、ときにみずから迎え入れるようにして、他者の声のための場所を作る――そんな語り方です。ツイッターは「発信」のツールだとよく言われますが、彼女はそれをむしろ他者の言葉をやわらかく「受容」するスペースに変えています。

そのような語り方ができるのは、彼女にとって「私」というものが、つねに複数の他者に開かれ、複数の他者とともにあるものだからでしょう。「私の利益だけでない価値を想像することができる、ゆるい主体としての私たち」（２５０頁）と彼女は言います。この「私たち」は、境界線を引き、他者を排除することによってできる同質的な「私たち」とはまったく無縁なものです。「私たち、という言葉を遣うときには、そこに誰もが出入りできるゆるさを持ち合わせていた方が安全だと思う。範囲を規定してしまった途端に、その外を排除しはじめるから」（251頁）。

「私は私たちの一部であるし、私たちは私の大きな容れものでもある」（251頁）と彼女は書きます。そのとおりです。しかし彼女はそれ以上のことをやっています。彼女の語りが示しているのは、まさに「私たちは私の一部であるし、私は私たちの大きな容れものである」ということでもあるからです。「私」は個人として複数の他者とともに、「私たち」の一部として生きているだけではありません。そもそも「私」のなかにはつねに複数の他者がいるのです。その意味でも「生きる」とはつねに他者とともに生きることなのです。被災地を訪れた彼女は、そこで暮らす人々に歓待されます。人は歓待されれば、お返しをしたいと思うものです。歓待する側がお返しなどまったく期待していないことがわかるだけに、どうしてもお返しがしたいのです。彼女は土地の風景を絵に描きます。その絵を人々に見せます。おばちゃんやおじちゃんは喜んでくれます。でも彼女にとってはまだ足りない。彼女はみずからの言葉を、自分と言葉との関係を少しずつ作り変えていきます――そこが人々を迎え入れ、歓待することのできるスペースとなるように。文学や芸術とは、そのような場所のことなのかもしれません。

実際、美大の学生であった彼女、瀬尾夏美は、陸前高田という土地におもむき、そこに生きる・生きた・生きるであろう（なぜなら彼女は未来の、二〇三一年の陸前高田をモデルにした「二重のまち」という作品を二〇一五年に書くことによって、そこに生きるであろう人たちとすでに出会っているのですから）人々とその風景をみずからの言葉のなかで、言葉によって歓待することで芸術家となったのでした――やはり学生であった相棒の小森はるかが、映像のなかで、映像によって人々とその風景を歓待することで芸術家になったように。陸前高田という土地と、そこに生きる・生きた・生きるであろう人々に歓待され、その歓待に応えようとすることで、二人の芸術は生まれたと言ってもよいでしょう。

歓待の精神は、文学や芸術の根源にあるものです。そして当たり前ですが、歓待という行為が成立するためには、絶対に他者が、あなたが必要なのです。歓待の精神はおそらく人間に内在する欲求です。瀬尾夏美ならそれを、「想像力の拡張への欲求と、誰かのことを想いたいという原始的な欲求」（２１７頁）と呼ぶでしょう。そして彼女が次のように叫ぶようにつづるとき、その声を発しているのは、もちろん瀬尾夏美だけではありません。文学と芸術という美しい空間に響き渡るその声は、僕のものでもあり、あなたのものでもあるのです――「私でない誰かのことを、想いたい」（２１７頁）。

『あわいゆくころ　陸前高田、震災後を生きる』晶文社

あとがき

この本を読み終えたいま（もちろん全部読んでいなくても構いません。読みたいと思えるところが少しでもあれば嬉しいので）、もしかしたら次のような疑念を抱いている方もおられるかもしれません。

ふむふむ。この本のタイトルには「歓待」という言葉があるね。だけど文学作品にどのように歓待という行為が描かれてきたかについての本ではなかったみたいだ。読んだ人が文学にどんなふうに歓待されているか、ということを、この著者（僕ですね）は書きたいらしい。うんうん、たしかに著者はずいぶんと取り上げた作品にあたたかく迎え入れられているみたいだ。ぬぬぬ。だけど（だけど！）、こいつ、くつろぎ過ぎていないか？　作品が示してくれる好意や配慮に甘え過ぎてないか？　心づくしのもてなしを受けて、すっかりいい気分じゃないか。しまいにはごろんと寝転んで、おいおい、もう気持ちよさそうにぐーぐー寝息を立ててるじゃないか。すごく幸せそうな笑みまで浮かべて――。

文学作品――文学を含め芸術作品というもの――はつねにあなたを歓待しようと待ち構えています。作品は生まれた瞬間から誰かを歓待したくてたまらないのです。作品が読まい、れると書くと、受動的に聞こえます。しかし作品にとっては、読まれることはすなわちあなたを歓待することです。そもそも読まれないことを目的として書かれる本など存在するのでしょうか？　たしかに、他人の目に触れることを前提としていない日記が、作者の死後に出版され、僕たちがそれを読むということはあります。けれど、ある人が文章を書き、発表し、出版するとき、その行為の根底にあるのは、自分以外の誰か、つまりあなたに読んでもらいたいという強い気持ちです。作品は作品である限り、いつだって読者を歓待する気満々なのです。

書き手は作品を読者がどのように読むのかまったく予想できません。もちろん書き手としては、こういうふうに読んでもらえるといいな、と読者に対してある程度の期待を抱くことはあるでしょう。でもそれは書き手の一方的な期待なのであって、かりに自分の思ったとおりに読んでくれる読者がいたら、それはそれで、いつもの自分を再確認するようでつまらないのではないかと思うのです。僕たちが人と出会い、旅をし、本を読み、芸術に親しむのは、変わりたいからではないでしょうか。自分とはちがうものに触れることで、ちがう自分になりたい、できれば少しでもよい方向に自分を変えていきたいと願っているからではないでしょうか。

それに、作者以上に作品は寛大です。どんな読み方をされても怒ったりはしません。差し伸べた手を払いのけられても、もてなしをそっけなく拒絶されても、ずかずかと踏み込まれて大暴れされても、歓待することをやめないのです。読む僕たちだって人間です。つねに喜びや幸せに溢れているわけではありません。でも、そんなときほど文学作品の歓待が胸に染みます。作品は僕たちの悲しみ、苦悩や迷い、疑念や怒りを、ひたすら受けとめてくれるからです。それは僕たちにとっては自分の一部分を作品に譲り渡すことでもあります。作品に没頭できたときには、自分をまるごと作品に譲り渡している。そうやってできた空間に、ふたたび光がそそぎ、風が通います。自分が何か大きなものに支えられているのがわかります。慰撫と激励に包まれています。世界とのあいだに、他者とのあいだに橋がかけられます。自分との関係も変わります——よりよい方向に。きっとそうなるはずです。それを「文学的な」体験と僕は呼びたいのです。

そのような文学的な体験を与えてくれるのは、本書の第1回でも書きましたが、本だけではありません。みなさんの周囲にも、ああ、こんな人が存在しているのだから、この世界も決して悪いところじゃない、と励ましを、生きる力を与えてくれる人がいるはずです。しかし現実にはそんな「文学的な」人にはなかなか出会えない。だからこそ、つねに僕たちを無条件で受け入れ、歓待したい、生きる喜びを共有したいと待ってくれている本との出会いを大切にしたいのです。

文学的な人には滅多に出会えない、と僕は書きました。でもそれは少し嘘です。なぜなら僕は実に多くの文学的な人たちに出会ってきたからです。

ここでひとりだけ名前を挙げさせてください。クロード・ムシャール。クロードはその生き方を通して、文学とは何かを僕に伝えてくれた人です。もしもクロードに出会わなかったら、おろかな僕は文学とは歓待の行為であるということに気づくことはなかったでしょう。この本を書きながら、僕は頭のなかでずっとクロードと対話をしていました——ロワール川にかかった古い橋をきょうも歩いていく二人の馬鹿の姿が見えます。真剣な顔で喋っているときよりも冗談を言い合いながら笑っている時間のほうがはるかに多いですね。お馬鹿な僕たちが毎日のように一緒に渡ったあの橋は、たしかに文学的なものへ、歓待の心へと延びていました。

本書が生まれるにあたって、多くの人々から歓待を受けました。この本は、もともとはNHKラジオ「こころをよむ」——本は読む者の心の声を聞き取ってくれると信じる僕です。番組タイトルからすでに歓待を受けていました——のテキストとして書かれました。番組の収録に際しては、ディレクターの加藤愛さん、サブディレクターの高田斉治さんと須佐麻美さん、プロデューサーの平野浩幸さんをはじめとするスタッフのみなさんのおかげで、とても楽しい時間を過ごすことができました。

番組の最終回を構成するにあたって、リスナーのみなさんに番組で紹介した作品にどのように歓待されたか教えてくださいとお願いしましたら、たくさんの方がおはがきを送ってくださいました。おはがきを何枚も費やして、お話を綴ってくださった方もいらっしゃいました。全部ていねいに拝読しました。それは僕にとってはみなさんから歓待を受ける体験にほかなりませんでした。心から感謝いたします。

最後に、本書の担当編集者であるNHK出版編集部の「タカモリどん」こと（って僕が勝手に呼んでいるだけですが）高森静香さんの途方もなく素晴らしい歓待（え、忍耐？）の精神に心から感謝します。本当にありがとうございました。せっかく心を込めておもてなしの席を用意してくださったのに、僕がなかなか現われずに、やきもきされ不安も感じられたことと思います。でも、タカモリどん、間に合ったでしょ？　それにお土産もあります。これを作るのにずいぶん時間がかかっちゃいました。お口に、お心に合うかどうかわかりませんが、さあ、どうぞみなさんで分けてください――

二〇二一年一〇月一六日
どこまでも文学的な人であった兄の命日に――

小野正嗣

初出
1〜13回　NHKテキスト『こころをよむ　歓待する文学』2019年1〜3月
14〜16回　書き下ろし

装幀　坂川朱音
装画　鈴木美貴子
校正　酒井清一・髙橋由衣
本文組版　今井光邦／天龍社

小野正嗣（おのまさつぐ）

1970年、大分県生まれ。東京大学大学院総合文化研究科博士課程単位取得満期退学。パリ第8大学文学博士。早稲田大学文化構想学部教授。「水に埋もれる墓」（2001）で朝日新人文学賞、『にぎやかな湾に背負われた船』（2002）で三島由紀夫賞、『九年前の祈り』（2014）で芥川賞を受賞。『踏み跡にたたずんで』『ヨロコビ・ムカエル?』ほか著書多数。主な訳書に、マリー・ンディアイ『ロジー・カルプ』『三人の逞しい女』、アミン・マアルーフ『アイデンティティが人を殺す』、アキール・シャルマ『ファミリー・ライフ』など。2018年よりNHK「日曜美術館」のキャスターを務める。

歓待する文学

2021年11月25日　第1刷発行

著　者　小野正嗣

発行者　土井成紀

発行所　NHK出版
〒150-8081 東京都渋谷区宇田川町41-1
電 話　0570-009-321（問い合わせ）
　　　0570-000-321（注文）
ホームページ　https://www.nhk-book.co.jp
振 替　00110-1-49701

印　刷　三秀舎／近代美術

製　本　ブックアート

Printed in Japan ISBN978-4-14-081882-4 C0095